TAIS-TOI
ARRÊTE DE TE
PLAINDRE
DÉNIAISE

Les Éditions Transcontinental
1100, boul. René-Lévesque Ouest, 24e étage
Montréal (Québec) H3B 4X9
Téléphone : 514 392-9000 ou 1 800 361-5479
www.livres.transcontinental.ca

Catalogage avant publication de Bibliothèque et Archives Canada
Winget, Larry
Tais-toi, arrête de te plaindre, déniaise
Traduction de : *Shut Up, Stop Whining, and Get a Life.*

ISBN 978-2-89472-328-9

1. Habiletés de base. 2. Morale pratique. 3. Succès. 4. Réalisation de soi. I. Titre.

HQ2037.W5714 2007   646.7   C2006-942326-1

Correction : Diane Boucher
Mise en pages et conception graphique de la page couverture : Studio Andrée Robillard
Impression : Transcontinental Métrolitho

Imprimé au Canada
© Les Éditions Transcontinental, 2007, pour la version française publiée au Canada
Dépôt légal — Bibliothèque et Archives nationales du Québec, 1er trimestre 2007
Bibliothèque et Archives Canada
2e impression, mars 2007

Nous reconnaissons, pour nos activités d'édition, l'aide financière du gouvernement du Canada par l'entremise du Programme d'aide au développement de l'industrie de l'édition (PADIÉ). Nous remercions également la SODEC de son appui financier (programmes Aide à l'édition et Aide à la promotion).

Pour connaître nos autres titres, consultez le **www.livres.transcontinental.ca**. Pour bénéficier de nos tarifs spéciaux s'appliquant aux bibliothèques d'entreprise ou aux achats en gros, informez-vous au **1 866 800-2500**.

Larry Winget

TAIS-TOI
ARRÊTE DE TE
PLAINDRE
DÉNIAISE

Traduction de l'américain par Danielle Charron, trad. a.

Les Éditions
Transcontinental

Je dédie ce livre à tous mes emmerdements.
C'est grâce à eux que je suis qui je suis. Ils m'ont forcé à lire,
à chercher, à observer, à apprendre, à renoncer, à accepter,
à voir les choses différemment et à me bâtir
la vie que j'ai toujours voulue.

Sans mes emmerdements, je serais comme la plupart des gens :
je mènerais une vie médiocre, je serais amer, je passerais mon temps
à me plaindre et je ferais des reproches à tout un chacun.

Sans mes emmerdements, ce livre n'existerait pas,
et vous n'auriez aucune raison
de me prêter la moindre attention.

Je remercie donc mes emmerdements de tout mon cœur !

Table des matières

Préface

Ce livre n'est pas de tout repos. C'est voulu. Je veux vous provoquer. Je veux que vous en ayez assez d'accepter autre chose que ce qu'il y a de mieux pour vous et que vous en veniez à détester la vie minable que vous menez. Je veux vous insuffler cet insatiable désir d'en vouloir davantage, d'en faire plus et de vous épanouir. Vous êtes capable de vivre comme vous le souhaitez. Mais pour vous aider à y arriver, je vais devoir vous botter le derrière et vous malmener un peu.

Certains d'entre vous me trouveront brusque. Ça dépend de votre niveau de léthargie. Il faudra peut-être que je vous secoue pour vous tirer du sommeil. Mais si vous n'êtes pas profondément endormi, si vous ne faites que somnoler, une légère pression suffira. Pour certains, le réveil sera brutal – une véritable gifle.

J'ai un ton cassant qui vous mettra peut-être en colère. Ça ne me fait pas peur. Si vous vous montez contre moi, ça signifie que vous ne craignez pas d'être mis au défi. Aussi bien en profiter pour mettre quelques-uns de mes conseils en pratique. Qui sait, ils vous aideront peut-être à améliorer votre sort. Mais avec un peu de chance, vous vous rendrez compte que je ne suis pas qu'agressif. Mon principal objectif est de vous aider. Je souhaite de tout mon cœur vous donner le courage de réaliser vos ambitions.

Dans le rayon «développement personnel», ce livre est différent de tous ceux que vous avez lus. Selon moi, le marché abonde en ouvrages qui aident les gens à souffrir dans le confort. La plupart veulent vous faire croire que, malgré votre vie minable, tout va bien et que, compte tenu des circonstances, vous n'aviez pas le choix. En fait, ces livres ne font souvent rien d'autre que vous enfermer dans un cocon où il vous sera encore plus difficile d'accepter la vérité – la vérité toute nue.

Moi, je ne veux pas vous aider à souffrir confortablement. Je veux plutôt vous sortir de votre cocon pour vous présenter quelques vérités qui vous aideront à y voir plus clair, vous amèneront à réfléchir et vous feront évoluer. Seulement voilà, j'emploie la méthode forte.

Apparemment, il ne faut jamais donner l'éperon à un cheval qui trotte déjà. Considérez ce livre comme un éperon qui vous aidera à trotter.

> **❮❮ Ils pensent que je leur donne du fil à retordre, alors que je leur dis simplement la vérité. ❯❯**
>
> **– Harry S. Truman**

Je ne détiens pas la vérité et je ne maîtrise pas tout ce dont je parle dans ce livre. Contrairement à bien des auteurs et des conférenciers, je préfère être honnête avec vous. Je suis tout aussi perdu que vous. La seule différence, c'est que je fais de mon mieux avec les connaissances que j'ai en attendant d'en acquérir d'autres qui me permettront d'aller un peu plus loin. Je vous propose de faire de même. Profitez le plus possible de ce que vous apportera cet ouvrage jusqu'à ce que vous appreniez autre chose qui vous permettra d'améliorer votre sort.

Je suis toujours en train d'apprendre. Pourtant, j'ai déjà cru que je savais tout. C'était parfaitement stupide. Maintenant, je sais que plus on en sait, mieux on comprend à quel point on est ignorant.

Tout de même, ce livre porte sur ce que je sais, et non sur ce que j'ignore. Je suis absolument certain des idées que j'y avance. Je les ai développées à force de lire, d'écouter et d'apprendre à la dure, par essais et erreurs. C'est l'expérience qui parle. Et je sais que ça fonctionne. J'en suis convaincu.

J'ai écrit ce livre pour vous. À preuve, vous êtes en train de le lire, peu importe la manière dont il vous est tombé entre les mains. Profitez donc du temps que vous passerez avec moi. Laissez-moi vous secouer. Laissez-moi vous dire la vérité telle que je l'ai découverte. Laissez-moi vous montrer comment obtenir ce que vous voulez. Vous le méritez. Suivez mes conseils, vous ne le regretterez pas !

《 Il n'y a aucune règle ici. Nous sommes juste en train d'essayer d'accomplir quelque chose. 》
– Thomas Edison

《 La vérité est souvent dérangeante.
Elle réconforte seulement
ceux qui ne veulent pas l'ignorer.
Puis la vérité devient
non seulement réconfortante,
mais inspirante. 》
– Neale Donald Walsch,
***Conversations avec Dieu*, Tome 3**

Déranger est le propre de la vérité. Elle ne vous maintiendra pas dans votre zone de confort, mais cherchera plutôt à vous rapprocher de votre raison d'être.

Attention ! Cliché à l'horizon : « La vérité fait mal. »

Combien de fois avez-vous déjà entendu ça? Souvent, les clichés sont incontestables. C'est le cas ici. En fait, j'irais jusqu'à dire que plus une affirmation est douloureuse, plus elle est vraie. Et puisque ce livre contient la vérité, il vous fera probablement mal.

Autre cliché : «La vérité vous libérera.»

Celui-là provient de la Bible (Jean 8:32 KJV[1]). Il est vrai, mais incomplet.

«Comment, Larry? Tu prétends critiquer la Bible?»

Regardons les choses en face. La Bible remonte à quelque deux mille ans. Depuis, il en a coulé, de l'eau, sous les ponts. Je crois qu'on peut se permettre quelque licence littéraire ici. À mon avis, la citation ci-dessous est plus juste.

**《 La vérité vous libérera,
mais d'abord elle vous fera chier. 》**
– Werner Erhard

C'est ce que ce livre vous fera (ou a déjà commencé à vous faire). Mais n'oubliez pas :

**《 Tout le malheur de l'être humain vient du fait
qu'il ne regarde pas la réalité en face. 》**
– Bouddha

---

[1] NDT : KJV signifie King James Version. Cette version de la Bible est celle du roi Jacques 1er d'Angleterre. Publiée en 1611, elle a eu un impact déterminant sur la littérature de langue anglaise. Citer la KJV est une garantie d'authenticité.

Remerciements

Je remercie les auteurs dont les travaux m'ont influencé : Wayne Dyer, Deepak Chopra, Marianne Williamson, Louise Hay, Kennedy Shultz, Thomas Moore, Paramahansa Yogananda, Neale Donald Walsch, entre autres.

Je salue également les gens qui m'ont aidé non seulement pendant la rédaction de cet ouvrage mais aussi pendant toutes les années de galère que j'ai vécues. C'est ce qui m'a permis d'écrire.

Je rends hommage à ma femme, Rose Mary, pour tout ce qu'elle endure avec moi. Je ne suis pas facile à vivre – c'est un fait avéré –, mais elle le comprend mieux que personne. Elle mérite un prix pour tolérer mes excentricités, ma rage, mes passions, mon énergie, mon intolérance, mes stupidités, mon ego surdimensionné, mon vacarme et toutes mes affaires. Qu'elle soit bénie.

À la fois différents et semblables, mes fils, Tyler et Patrick, m'ont fait vivre des montagnes russes d'émotions dont je n'aurais voulu me passer pour rien au monde. Je suis fier d'eux et je les remercie d'être devenus mes meilleurs amis.

Je n'ai pas beaucoup d'amis : quelques confrères conférenciers et autres anonymes. Mais, chacun à leur façon, ils m'ont aidé quand j'en avais besoin, en m'encourageant et en m'engueulant. Ils n'ont pas idée de ce qu'ils m'ont apporté. Et je leur en suis très reconnaissant.

Je remercie la merveilleuse équipe de Keppler Associates Inc. Ces professionnels comprennent ce que je fais, organisent mes conférences et mon calendrier et, en un sens, veillent à mes finances. En plus, nous avons beaucoup de plaisir à travailler ensemble.

Je suis particulièrement redevable à Vic Osteen, mon directeur du marketing, mon associé et surtout mon fidèle ami. Il prend soin de moi et, en mon absence, s'occupe très bien de mes affaires. Merci, vieux. Tu es mon pilier. Je n'y arriverais pas sans toi.

À propos de l'auteur

Larry Winget est connu comme étant le pitbull du développement personnel et le conférencier le plus énervant du monde. Il est cassant, controversé, irascible, hostile, sarcastique, opiniâtre, caustique, direct, cru. Il est unique en son genre.

Ce philosophe au sens de l'humour dévastateur défend des principes universels, qui conviennent à tous quel que soit leur domaine. Pour la plupart des gens, croit-il, la vie est devenue quelque chose de trop compliqué, qu'ils prennent trop au sérieux. Il faut y remédier.

Conférencier extrêmement populaire, Winget est invité par divers groupes, sociétés et associations à présenter sa conception du succès, basée sur le service et la responsabilisation.

Que ce soit à l'écrit ou à l'oral, il ne mâche pas ses mots. Il dit la vérité, l'horrible vérité, la vérité toute nue, d'une façon provocante, intéressante et amusante.

Il est tout sauf ennuyeux !

Avant de commencer

Cet ouvrage contient plein de bonnes idées sur lesquelles vous voudrez revenir plus tard. Je vous conseille donc de le lire surligneur en main. Vous aurez aussi besoin d'un stylo pour remplir différents question naires et prendre des notes dans les marges. Vous verrez, ce livre est non seulement un outil de référence, mais aussi un outil de travail.

Si vous voulez en citer des extraits ou en parler autour de vous, n'oubliez pas que c'est moi l'auteur. Il faut rendre à César ce qui appartient à César. Je ne manque jamais de révéler mes sources. Si jamais vous écrivez un livre et que je vous cite, je le mentionnerai. Alors faites de même. Ça marche ?

Ne prêtez pas cet ouvrage. D'abord, ce serait vraiment grossier de votre part d'offrir à quelqu'un un livre tout annoté. Ensuite, on ne vous le rendrait pas. Si vous le trouvez assez bon pour le faire lire à vos amis, offrez-leur-en des exemplaires neufs. (Si vous n'arrêtez pas de prêter mon livre à tout le monde, comment est-ce que je vais faire pour gagner ma vie ? En fait, vous devriez en commander une caisse pour en donner à toutes les personnes de votre entourage qui devraient la fermer et arrêter de se plaindre.)

Si vous n'avez pas aimé mon livre, ne vous sentez pas obligé de me le dire. Je ne tiens pas à le savoir. Je ne m'intéresse nullement à vos critiques, idées ou commentaires. Et n'allez surtout pas croire que je vous rembourserai, peu importe l'étendue de votre malheur ou l'intensité de votre haine. En revanche, si vous avez aimé mon livre, laissez-le-moi savoir. J'adore ça.

《 Vous devez parler sans détour pour que vos paroles réchauffent nos cœurs comme des rayons de soleil. 》
– Cochise, chef chiricahua

Chapitre 1

Tais-toi !

« Quoi ? Larry, tu viens juste de me dire de la fermer ? »

Oui, vous avez très bien compris. Il fallait bien que quelqu'un le fasse un jour. Si vous êtes comme la plupart des gens sur cette planète, vous parlez sans doute à un point tel que vous n'entendez absolument rien. « Tu es une véritable radio, me disait mon père, alors que tu devrais te contenter d'être un auditeur. » Autrement dit, fermez-la une minute et écoutez.

C'est probablement votre plus grand problème. Vous êtes tellement occupé à parler que vous manquez d'attention et ratez l'essentiel.

> **《 La plupart des gens s'agitent tellement pour meubler leur vie qu'ils n'entendent rien. 》**
> **– Louise Hay**

Un jour, Jésus naviguait à bord d'un bateau de pêche avec ses apôtres. Il faisait la sieste quand une tempête s'est levée. Pleurant et gémissant, les disciples ont réveillé leur maître. « Chut ! leur a dit Jésus. Calmez-vous. » (Marc 4:39 KJV). Puis il s'est mis à leur parler de la foi.

Combien de fois me suis-je fait dire *Chut!* quand j'étais gamin? Je savais exactement ce que ça voulait dire. D'une façon ou d'une autre, on me faisait taire pour me dire quelque chose, pour m'enseigner quelque chose – comme Jésus, à ses apôtres.

C'est aussi mon intention à votre endroit.

Fermez-la et écoutez

Il est impossible d'entendre ou d'apprendre quoi que ce soit pendant qu'on parle. Toute l'information utile n'entre dans le cerveau que lorsqu'on est silencieux et attentif. À quand remonte la dernière fois où vous avez gardé le silence pour vraiment écouter? Ça fait un bail, hein? Vous devriez essayer. Vous seriez surpris du résultat. « Le savoir parle, a dit un jour Jimi Hendrix, mais la sagesse écoute. »

ÉCOUTEZ LES AUTRES

Arrêtez-vous un moment pour écouter votre conjoint, votre partenaire de vie. Fermez la télévision, prenez-lui la main, regardez-le dans les yeux et soyez attentif à ce qu'il dit. Cet échange sera extrêmement bénéfique pour votre relation.

Prenez le temps d'écouter vos enfants. J'ai déjà lu quelque part qu'en moyenne, les parents passent moins de sept minutes par jour à parler avec leurs enfants. C'est vrai que ça ne va pas toujours de soi – surtout à l'adolescence. Pendant cette période ingrate pour tout le monde, les enfants n'ont pas plus envie de bavarder avec vous que vous n'avez envie d'entendre les grognements qu'ils vous servent comme réponses. Je sais ce que c'est, je suis passé par là. Ne renoncez pas pour autant. Insistez. Ados, mes deux fils ne voulaient rien savoir de moi. Malheureusement pour eux, ça ne m'a pas empêché de leur parler. Je les ai obligés à discuter avec moi ; je les ai contraints à m'écouter et je me suis forcé à entendre ce qu'ils avaient à dire même si c'était pénible. Un jour, par exemple, mon fils Tyler m'a dit que j'étais bien mal placé pour donner des conseils. Aïe !

La plupart des gens pensent que communiquer équivaut à parler. Or, la parole n'est qu'une infime partie de la communication. L'écoute est beaucoup plus importante. Exercez-vous à ce genre d'échange avec vos proches.

ÉCOUTEZ VOS CLIENTS

« Tout l'argent que vous aurez, a dit un jour Earl Nightingale, est actuellement entre les mains de quelqu'un d'autre. » En affaires, ce « quelqu'un d'autre », c'est le client. Il vous donnera son argent si vous lui fournissez un bon service. Vous y arriverez notamment en l'écoutant.

Je vous entends protester. Apparemment, vous n'avez pas de clients. Mais vous avez beau les appeler par d'autres noms – patients, collègues, auditoire, etc. –, ce sont des clients, et vous avez intérêt à les écouter. Ils possèdent toute l'information dont vous avez besoin pour bien les servir, résoudre leurs problèmes et les rendre heureux. Essayez. Vous ne serez pas déçu.

ÉCOUTEZ CEUX QUI EN SAVENT PLUS QUE VOUS

Il y a des gens qui en savent plus que vous. Difficile à imaginer, n'est-ce pas ? C'est pourtant le cas. Qui plus est, ils vous donneront volontiers un coup de main. Le hic, c'est que la plupart des gens n'osent pas demander de l'aide ; ils préfèrent se plaindre, ce qui n'est pas du tout la même chose. En plus, ils suivent rarement les conseils qu'on leur donne. Ne faites pas comme eux. Si vous demandez conseil à quelqu'un qui en sait plus que vous, faites ce qu'il dit. Ne gaspillez pas cette information.

Où trouve-t-on ces gens? Partout. Il vous suffit de porter attention à leurs résultats. Ça ne ment pas. Si une personne est plus prospère que vous, c'est parce qu'elle en sait plus que vous ou qu'elle est prête à en faire plus que vous. Dans un cas comme dans l'autre, observez-la.

Fréquentez ces gens. Regardez-les agir, écoutez-les. Cherchez à comprendre ce qu'ils font et imitez-les. Il y a de fortes chances que vous obteniez les mêmes résultats. Pour reprendre les paroles de mon ami Joe Charbonneau: «Fais comme les maîtres, et tu en deviendras un.»

ÉCOUTEZ LES EXPERTS

On trouve de nombreux discours ou écrits de grands conférenciers, professeurs, philosophes et auteurs sous forme audio. Écouter un disque compact est une méthode d'apprentissage extrêmement pratique. Mes meilleurs professeurs m'ont livré leur enseignement par cassettes, aux moments qui me convenaient le mieux: dans ma voiture, à bord d'un avion, à mon bureau, près de la piscine.

Sur toute une vie, on passe apparemment l'équivalent de quatre programmes de doctorat en voiture. Utilisez ces heures pour parfaire vos connaissances sur les affaires, la gestion, l'art d'être parent, la perte de poids, etc. À mon avis, toutefois, ce n'est pas en écoutant un CD que vous perdrez du poids, mais bien en cessant de vous empiffrer!

Je possède une phonothèque de plusieurs milliers de dollars. C'est l'un de mes biens les plus précieux. Je suis en effet convaincu que mes livres-cassettes m'ont influencé plus que toute autre méthode de formation.

ÉCOUTEZ DE LA BONNE MUSIQUE

J'envie mes amis qui sont capables de méditer dans le silence le plus total. Moi, j'en suis incapable. Par contre, j'ai appris à écouter de la musique qui prête à la méditation, qui m'aide à relaxer. Parfois elle m'inspire, parfois elle m'endort, parfois elle me fait sourire.

Allez chez un bon disquaire et choisissez de la musique instrumentale dans les sections Nouvel Âge et Classique. Une fois chez vous, glissez le CD dans votre lecteur et décompressez.

Loin de moi l'idée de vous faire abandonner votre musique préférée. Personne ne m'empêchera jamais d'écouter Leon Russell, Elvis, Merle Haggard, Willie Nelson, Van Morrison ou les bons vieux groupes rock des années 50, 60 et 70. J'adore le blues, le classique, le rock, la musique country, le nouvel âge, le *big band*. J'écoute ces différents genres pour diverses raisons. Faites-en autant à condition de vous en tenir uniquement à de la bonne musique.

ÉCOUTEZ-VOUS

Attention ! Il ne s'agit pas ici de vous écouter parler – vous le faites déjà suffisamment –, mais plutôt d'être attentif à votre « moi profond ». Que vous l'appeliez *conscience* ou *instinct,* cette entité est plus intelligente que vous, elle a un point de vue supérieur au vôtre et elle sait ce que vous devez faire. Alors écoutez-la. Et essayez de suivre ses conseils.

ÉCOUTEZ DIEU

En passant, cette fameuse entité, c'est Dieu. Sans blague. Même si vous n'êtes pas à l'aise avec l'idée, il n'en demeure pas moins que cette entité supérieurement intelligente, qui vous habite, vous apprécie, vous veut du bien et sait ce qu'il faut faire, c'est Dieu. Bien qu'il soit en chacun de nous, nous ne l'écoutons pas toujours. Nous lui préférons nos doutes.

PARFOIS, VOUS DEVEZ VOUS BOUCHER LES OREILLES

«Quoi? Allons, Larry, tu me dis d'écouter, puis le contraire. Décide-toi!»

C'est vrai, mais vous avez intérêt à ignorer certaines personnes et certains phénomènes.

N'écoutez pas…

- ⊙ une personne sans le sou qui vous explique comment devenir riche.

- ⊙ un médecin qui fume et fait de l'embonpoint, qui prétend savoir ce qu'il faut faire pour être en santé.

- ⊙ un raté qui vous dit comment réussir.

- ⊙ un prédicateur qui vous accuse d'être un ignoble pécheur.

- ⊙ les gens qui médisent.

- ⊙ les commérages de bureau.

- ⊙ ceux qui vous rabaissent quelle qu'en soit la raison.

- ⊙ vos propres critiques à votre égard.

Cette dernière recommandation nécessite des précisions, car je vous ai aussi encouragé à écouter votre moi profond.

Sachez que personne ne vous critiquera autant que vous-même. Faites de votre mieux pour éviter tout discours négatif du genre «Je ne pourrai jamais le faire», «Je ne suis pas bon à ça», «Je suis tellement stupide». Dès que vous vous surprenez à vous laisser aller à de telles réflexions, ARRÊTEZ! Reprenez vos esprits et formulez votre pensée autrement. Dites-vous que vous êtes capable de le faire, que vous pouvez y arriver. Bref, plutôt que de vous éloigner de votre objectif – ne serait-ce que par la pensée –, rapprochez-vous-en.

«OK, j'ai compris, Larry. Je sais déjà tout ça. Jusqu'à maintenant, je n'ai rien appris de nouveau. Je veux quelque chose d'utile, moi. C'est quoi, la prochaine étape?»

J'y arrive, j'y arrive. Vous ne perdez rien pour attendre. Il faut bien préparer le terrain. Mais vous ne serez pas déçu. Ça va être laid.

Chapitre 2

Arrête de te plaindre !

Les gens n'arrêtent pas de se plaindre. Au restaurant, au supermarché, à la télévision, à la radio, au travail, à la maison et dans leur propre tête.

Le chialage est la raison d'être de l'émission la plus populaire aux États-Unis : le *Jerry Springer Show*[2]. Vous connaissez ? Comme la plupart des gens à qui je pose la question, vous me direz probablement que vous ne l'avez jamais regardée. Je me demande vraiment comment elle obtient de telles cotes d'écoute… Je supposerai donc que vous êtes tombé dessus par hasard, en zappant.

Cette émission me renverse. Elle met en scène des gens qui déclinent toute responsabilité pour ce qui leur arrive. Ils n'ont qu'une idée en tête : se plaindre. C'était le cas par exemple de ce type qui ne voyait pas pourquoi sa femme et sa maîtresse l'avaient plaqué. Il était totalement désemparé. Un seul coup d'œil dans le miroir l'aurait pourtant aidé à comprendre : il était obèse, laid, stupide, tatoué de la tête aux pieds et il n'avait que trois dents.

---

[2] NDT : Dans le cadre de cette émission de téléréalité très controversée, Jerry Springer invite des gens à exposer et à résoudre leurs problèmes – adultère, trahison, etc. – devant un auditoire qui réagit, pose des questions, donne son opinion. Souvent, les choses tournent mal, avec pleurs, cris et violence à la clé.

Très peu de gens assument leur situation. Ils n'ont pas à le faire puisque personne ne l'exige d'eux. On tolère de plus en plus les chialeux, les geignards. Il y en a tellement qu'on ne les remarque plus.

Moi, par contre, je les vois, je les entends, et ils me rendent malade. Le pire, c'est qu'eux-mêmes en ont assez de râler. Ils le font juste pour attirer l'attention. Dans le fond, ils espèrent que quelqu'un les remarquera et leur dira de la fermer, d'arrêter de se plaindre et de faire quelque chose de leur vie !

Si vous êtes un de ceux-là – et on l'est tous à l'occasion –, je parie que vous n'en pouvez plus et que vous êtes prêt à changer. Vous en avez assez d'être mal dans votre peau, d'être sans le sou, d'échouer, d'entretenir des relations minables. Et surtout, vous en avez marre d'en avoir marre.

> **Si vous êtes malheureux, raté, malade ou fauché,**
> **gardez ça pour vous. Personne n'a besoin de le savoir.**
> **En fait, on s'en fout.**
> **Alors, pas un mot sur votre triste condition !**

Un jour, j'ai reçu une lettre tout à fait représentative du genre de lamentation que je ne peux pas supporter. La voici. Je n'en ai pas changé un mot.

Cher monsieur Winget,

Je sais que vous êtes très occupé, mais j'espère que vous trouverez le temps de me lire. Je suis complètement désemparé, je ne sais pas vers qui me tourner et j'aimerais vraiment que vous m'aidiez. Je tenterai d'être aussi concis que possible.

Je suis un célibataire de 36 ans et j'exerce le métier de coiffeur. Je suis très malheureux. Mon plus grand rêve serait de me marier et de fonder une famille. J'avais rencontré la femme idéale, un vrai cadeau du ciel. Selon moi, nous étions faits l'un pour l'autre. Mais elle vient de me quitter et m'a brisé le cœur. Elle trouvait que nous allions trop vite en affaires. Maintenant, je suis seul et je ne sais plus où j'en suis.

Côté carrière, ça ne va pas mieux. Mes parents ne m'ont jamais encouragé à faire des études, car ils croyaient que je deviendrais un joueur de base-ball professionnel. C'est à peine si j'ai terminé mes études secondaires. Cet été-là, j'ai fait deux camps d'entraînement, mais aucune équipe ne m'a recruté. Moi qui avais rêvé de jouer dans les ligues majeures! Tous mes espoirs sont tombés à l'eau. Je ne savais plus quoi faire. Il a vite fallu que je gagne ma vie. J'ai opté pour la coiffure parce que la formation ne durait qu'un an. Mais ça ne m'a jamais vraiment passionné.

Je me retrouve quinze ans plus tard plus misérable que jamais. J'en ai assez de la coiffure. Aller au salon me déprime davantage chaque jour. Je souhaiterais gagner ma vie à aider les gens à se fixer des objectifs et à les atteindre pour ne pas qu'ils finissent comme moi. Comment devrais-je m'y prendre pour faire carrière dans ce domaine?

Finalement, je croule sous les dettes et je m'apprête à déclarer faillite. Et jusqu'à récemment, j'avais un important problème de jeu. Mais la situation est maintenant sous contrôle. Je mène une pénible existence et je me sens cerné de toutes parts. Je voudrais changer de carrière, m'établir et me marier. Mais mes problèmes financiers m'en empêchent. J'apprécierais vraiment que vous me donniez des conseils. J'ai le cœur en mille miettes, je suis à sec et complètement désemparé.

Sincèrement,

Gérard le Geignard (C'est ainsi qu'il aurait dû signer)

Est-ce assez pleurnichard à votre goût? Moi, ça m'a littéralement soulevé le cœur! J'ai quand même répondu à Gérard le Geignard. D'abord, je lui ai dit que je n'avais jamais rien lu d'aussi pathétique. Pas étonnant que son amie l'ait quitté. Elle n'en pouvait plus, c'est clair. Pas étonnant non plus qu'avec une attitude aussi défaitiste, il mène une vie aussi misérable. Puis je lui ai expliqué en détail pourquoi tout allait de travers dans son existence et comment il pouvait y remédier.

En fait, ma réponse était un condensé de ce livre (vous êtes chanceux, vous avez droit à la version complète). Environ six semaines plus tard, Gérard m'a réécrit pour me remercier de l'avoir secoué. C'était la première fois qu'on ne compatissait pas avec lui, qu'on ne réagissait pas « gentiment » avec lui. Apparemment, ma lettre l'avait réorienté, et il en ressentait déjà les bienfaits.

Tant mieux ! Mais le plus triste dans tout ça, c'est que l'attitude de Gérard est très répandue dans notre société.

Ce n'est pas ma faute

La société américaine est devenue une société de victimes. Prenez la télévision. Il y a une surabondance d'émissions du type du *Jerry Springer Show*. Elles présentent toutes des geignards pitoyables qui blâment tout un chacun pour leurs problèmes, sauf eux-mêmes bien entendu. Ça me renverse.

J'en ai marre de ces parents qui attribuent le comportement détraqué de leurs rejetons à la violence qu'on voit dans les médias. J'admets qu'il y a trop de violence à la télé et au cinéma, et que beaucoup trop de gens sont susceptibles de reproduire les actes qu'ils y voient. Mais si un jeune fait sauter la cervelle de son chien ou participe à une fusillade à l'école, c'est parce que ses parents ne s'en sont pas assez occupés.

J'en ai assez de ces gens qui mettent leur existence minable sur le dos d'un soi-disant syndrome d'hyperactivité non traité, du rang qu'ils occupent dans leur famille, du fait qu'ils ont été nourris au sein ou à la bouteille. J'en ai ma claque des ivrognes qui poursuivent les propriétaires de bars parce qu'ils ont écrasé quelqu'un en rentrant chez eux, après une beuverie.

Je ne peux plus supporter les fumeurs qui poursuivent les fabricants de cigarettes sous prétexte que leurs produits leur ont donné le cancer. Comme s'ils ne savaient pas que la cigarette est nocive! Voyons donc! On met le feu à quelque chose, on aspire la fumée, et c'est censé être sans conséquence? C'est à ça que servent les poumons? Si les fumeurs sont stupides à ce point-là, ils méritent leurs malheurs.

Je ne suis plus capable d'entendre les gros lards accuser leurs gènes. Les problèmes thyroïdiens sont en cause dans environ un pour cent des cas d'obésité. On est trop gros parce qu'on mange trop et qu'on ne fait pas assez d'exercice, un point c'est tout. Pensez-y un instant. Avez-vous déjà mangé quelque chose sans vous en rendre compte? Est-ce la faute de McDonald's si vous commandez les plus grands formats? Avez-vous déjà été forcé de manger du *fast food*? Sous la menace d'un revolver? J'en doute. C'est vous qui avez mis toute cette nourriture dans votre bouche. C'est votre faute si vous avez un gros ventre.

Nous avons de plus en plus tendance à rejeter la responsabilité de nos propres erreurs sur autrui. Nous intentons des poursuites à qui mieux mieux. En voici quelques exemples récents :

⊙ Un homme de Cleveland, en Ohio, a intenté une poursuite en dommages-intérêts de 500 000 $US contre la compagnie M&M/Mars et un magasin de bonbons, parce qu'il s'est déchiré la lèvre en mordant dans un morceau de M&M qui ne contenait pas d'arachide et qu'il a dû se faire opérer.

⊙ Une personne complètement sourde de Boston, au Massachusetts, a intenté une poursuite de 20 millions de dollars contre le YMCA qui ne l'a pas acceptée dans son programme de formation de maîtres-nageurs en alléguant que, pour exercer ce métier, il fallait entendre les bruits et les signaux de détresse.

⊙ Après avoir trébuché contre un chien dans la cuisine de son maître, un homme de Raymondville, au Texas, a intenté une poursuite de 25 000 $ contre le maître sous prétexte qu'il ne lui avait pas dit où le chien avait tendance à s'étendre dans la maison.

Je n'essaie pas ici de vous démontrer à quel point ces causes sont absurdes, mais bien que nous sommes devenus une bande de geignards.

Un jour ou l'autre, il va vous arriver quelque chose.

Nous sommes des êtres humains, et il arrive des choses aux êtres humains. Personne n'y échappe. Ça prouve que nous existons. Vous n'êtes pas différent des autres. De toutes façons, votre vie serait vraiment ennuyeuse s'il ne vous arrivait jamais rien. Qui voudrait vous fréquenter dans votre perfection ?

Vous devez composer avec les événements. Vous n'avez pas le choix. La vie est imparfaite. Mais appréciez-la quand même du mieux que vous le pouvez. Et, de grâce, ne vous en plaignez pas.

Un jour, quelqu'un m'a fait parvenir l'aphorisme anonyme ci-dessous qu'il avait trouvé sur Internet. La plupart du temps, je considère ce genre de choses stupide et sans intérêt, mais ce texte m'a plu.

SI...
Si tu commences ta journée sans caféine,
Si tu es toujours joyeux, et que tu ne connais pas la souffrance,
Si tu ne te plains jamais et que tu n'ennuies jamais les gens avec tes tracas,
Si tu es capable de manger toujours la même chose et d'aimer cela,
Si tu comprends que parfois tes proches sont trop occupés pour t'accorder du temps,
Si tu es capable de passer l'éponge sur les reproches injustifiés de tes proches,

Si tu es capable d'accepter les critiques et les accusations sans animosité,

Si tu traites équitablement tous tes amis, qu'ils soient riches ou pauvres,

Si tu ne mens jamais,

Si tu n'as pas besoin de médicaments pour combattre le stress,

Si tu es capable de relaxer sans alcool,

Si tu es capable de dormir sans somnifères,

Si tu peux affirmer qu'en toute honnêteté, tu n'entretiens aucun préjugé au regard de la religion, de la couleur, de l'orientation sexuelle ou de la politique,

Alors ton cerveau est aussi développé que celui de ton chien.

La vie est parfois compliquée et éprouvante. Tant mieux ! C'est ce qui fait de nous des êtres humains intéressants et forts.

« Si vous vivez un enfer, continuez. »

– Winston Churchill

> **Tant qu'ils auront quelqu'un d'autre à blâmer, la plupart des gens ne se tiendront pas responsables de leurs échecs.**

« Holà ! Larry, donne-moi une chance ! »

Pas question ! Personne, à part votre maman, ne vous donnera de chance. Vous devez la *mériter*. Alors aussi bien arrêter tout de suite d'en demander. Personne ne viendra vous sauver. Il n'y a pas de redresseur de torts à l'horizon. Vous devez vous arranger tout seul, corriger vous-même vos erreurs, régler vous-même vos problèmes. Admettez que vous êtes un idiot et engagez-vous à faire mieux. Oubliez les reproches et concentrez-vous sur les solutions !

En quoi se plaindre est dangereux

Plus vous vous plaignez, plus vous vous enfoncez dans vos problèmes. Et si vous faites une fixation sur vos problèmes, vous ne leur trouverez jamais de solutions. Vous ne pouvez pas vous concentrer sur les deux à la fois. Alors, n'optez pas pour ce qui vous éloigne de vos objectifs. Est-ce que vous vous rapprochez du succès, de l'harmonie conjugale, du bonheur en vous lamentant? Vos doléances vous font-elles sourire? Sérieusement, avez-vous déjà vu quelqu'un sourire et se plaindre en même temps?

La réponse est évidente. Ce n'est pas en vous plaignant que vous réaliserez vos objectifs. Au contraire, vous accumulerez les échecs, perdrez le sourire et ferez fuir les autres – faites-moi confiance sur ce point.

Pour vous rapprocher de vos objectifs, il vous faut un plan. Un plan vous permettra de voir clair dans votre situation, ce qui en retour vous donnera de l'énergie et vous encouragera. Vous pourrez ainsi vous concentrer sur les solutions. Vous ne pourrez faire autrement que d'aller de l'avant. Et pendant que vous planifierez, vous ne pourrez pas vous plaindre.

N'oubliez jamais que vous ne pouvez faire qu'une chose à la fois. Pour l'heure, vous avez le choix entre dresser un plan qui vous rapprochera de vos objectifs, ou continuer de vous plaindre et de vous enliser.

Je comprends les problèmes

Je sais très bien que les gens ont toutes sortes de problèmes. Ils se font larguer, renvoyer, mettre à pied, ils sont victimes de compressions, de rajustements, de mises à niveau. La vie est ainsi faite. Malheureusement, de très bonnes personnes ont parfois de très graves ennuis. Je ne l'ignore pas. Et je ne suis pas en train de dire que vous êtes responsable de la migration des emplois vers le sud ou de la fermeture de votre compagnie. Par contre, vous êtes bel et bien responsable de votre réaction face à ces événements.

La vie ne s'impose pas à vous. Vous êtes en constante interaction avec elle. S'il vous arrive de ne pas avoir la main heureuse, brassez à nouveau les cartes et refaites-vous un jeu. Vous maîtrisez la situation plus que vous ne le croyez. Mais les choses que vous désirez ne se présenteront pas à vous d'elles-mêmes. Vous devrez les attirer. Comment? Tournez la page, c'est l'objet du chapitre suivant.

> **Si tout va plutôt bien pour vous,**
> **c'est qu'il ne se passe pas grand-chose dans votre vie.**

Chapitre 3

Fais quelque chose de ta vie !

**《 La vie commence
là où se termine
votre zone de confort. 》**
– Neale Donald Walsch,
Conversations avec Dieu, **Tome 3**

En avez-vous par-dessus la tête de votre vie médiocre ? En avez-vous assez de ne pas réaliser vos rêves ? de ne pas obtenir ce que vous voulez, ce que vous méritez ? Êtes-vous enfin prêt à changer ?

J'en doute.

« Quoi ? Comment peux-tu être aussi cruel, Larry ? Comment peux-tu douter de mon désir de changer ? »

Vous savez, je ne suis pas né de la dernière pluie. Je parie que ce n'est pas la première fois que vous vous dites prêt à changer.

Je commence toutes mes conférences par trois questions : « Êtes-vous prêt à réussir plus que jamais ? Êtes-vous prêt à faire plus d'argent que jamais ? Êtes-vous prêt à vous amuser plus que jamais ? » Je demande aux participants de répondre à chaque question en criant « Tu parles ! » Et ils le font.

Avec passion. Ils ont l'air très convaincus. Mais, selon vous, combien d'entre eux deviennent plus prospères, font plus d'argent ou s'amusent davantage ? Pas beaucoup, je le crains. Vous avez peut-être envie de me rétorquer que c'est parce que ma conférence n'est pas si géniale, après tout. C'est possible. Mais je pense que ce n'est pas la seule raison.

Prêt, capable et décidé

Pour entreprendre quoi que ce soit, il faut réunir trois conditions : il faut être prêt, capable et décidé. Voici ce que ça signifie.

PRÊT

Les gens sont convaincus qu'ils sont prêts à profiter davantage de la vie. C'est pourquoi ils me répondent avec autant d'enthousiasme quand je leur pose mes trois fameuses questions au début de mes conférences. Et je les crois. Honnêtement, qui oserait refuser la prospérité ?

CAPABLE

Qui est capable d'en faire plus ? Tout le monde. Peu importe votre rayon, vous êtes sûrement capable d'en faire plus, même si c'est juste un peu plus. Le bon côté, c'est que même ce moindre effort peut améliorer grandement votre situation.

Si tout le monde est *prêt* à améliorer son sort et est *capable* de le faire, où est le problème ?

DÉCIDÉ

Le problème réside dans la décision, ou plutôt dans l'absence de décision. Est-ce que les gens sont *décidés* à améliorer leur situation et à en faire davantage pour obtenir ce qu'ils désirent dans la vie ? NON ! Ils ne veulent pas fournir le temps et les efforts nécessaires pour y arriver. Le monde se divise non pas entre les nantis et les démunis, mais bien entre les gens décidés et les indécis.

Tout le monde peut faire mieux. Tout le monde en est capable. Mais peu de gens y arrivent, simplement parce qu'ils ne sont pas décidés, déterminés, résolus à changer.

C'est simple, non ? Ça fait probablement longtemps que vous vous demandez pourquoi votre situation n'est pas plus rose. Maintenant, vous avez la réponse ; parce que vous n'êtes pas décidé à faire ce qu'il faut pour l'améliorer.

« Ce n'est pas juste, Larry ! »

Au contraire, rien ne saurait être plus juste. Vous menez la vie que vous menez parce que vous n'êtes pas décidé à faire ce qu'il faut pour la changer, un point c'est tout.

Et, malheureusement, ce n'est pas une question de volonté. Vous auriez beau vouloir de toutes vos forces réussir, gagner plus d'argent et perdre du poids, il se peut très bien que vous n'arriviez qu'à échouer, perdre de l'argent et engraisser. La volonté n'entre en ligne de compte que si vous êtes résolu, décidé, déterminé à faire ce qu'il faut pour atteindre vos objectifs.

Les 3 autres ingrédients de l'échec

Vous savez maintenant que vous échouez parce que vous n'êtes pas décidé à faire le nécessaire pour réussir. Simpliste comme explication ? Eh bien, voici trois autres raisons. Mais je vous avertis, ça ne va pas vous plaire du tout !

1 - Vous êtes stupide.

2 - Vous êtes paresseux.

3 - Vous êtes nonchalant.

> **Les gens ne réussissent pas parce qu'ils sont :**
> **Stupides • Paresseux • Nonchalants**

Aïe ! Ça fait mal, hein ? Tant pis pour vous. Je vous l'avais dit : la vérité fait mal !

Le mot qui revient dans ces trois explications, c'est *vous*. *Vous* êtes à l'origine de votre vie pathétique. Autrement dit, si votre vie est moche, c'est que vous êtes moche. Pas votre environnement, pas les circonstances ou les conditions qui vous entourent − vous. *Vous* êtes médiocre.

Nous faisons tous face aux mêmes enjeux dans la vie :

⊙ L'économie

⊙ Les impôts

⊙ Les assurances

⊙ Le vieillissement

⊙ Les collègues stupides

- ⊙ Les enfants qui nous rendent fous
- ⊙ Les factures
- ⊙ Les clients déments
- ⊙ Le manque de temps
- ⊙ Le manque d'argent

Ça vous dit quelque chose ? Ça devrait, car nous avons à peu près tous les mêmes préoccupations. Pourtant, certains s'enrichissent tandis que d'autres s'appauvrissent. Et ce n'est pas la faute de la liste, mais bien la vôtre.

Si vous voulez savoir pourquoi vous ne réussissez pas dans la vie, vous n'avez pas besoin de chercher très loin. Vous êtes votre principal obstacle.

Si votre vie est médiocre, c'est parce que vous êtes médiocre.

Cessez de vous inventer des excuses pour justifier vos échecs. Faites face à la musique. Si vous ne réussissez pas, c'est parce que vous êtes stupide, paresseux ou nonchalant.

Les excuses sont des échappatoires. Elles ne vous empêchent pas de réussir : elles vous empêchent d'assumer vos responsabilités. Elles vous permettent de tenir les reproches loin de vous.

Je peux comprendre que votre vie ait été pleine de véritables écueils. Je ferai preuve d'indulgence dans ce cas, et je vous donnerai le temps de les surmonter. Mais je n'ai aucune tolérance pour les excuses.

Je sais ce qu'est l'adversité. Nous traversons tous de mauvaises passes. Mais ça ne peut pas nous servir indéfiniment de prétexte pour ne rien faire. Bon, ça suffit. Je vous ai assez cassé les oreilles avec ça au chapitre précédent. Examinons de plus près les raisons pour lesquelles les gens ne réussissent pas aussi bien qu'ils le souhaiteraient.

VOUS ÊTES STUPIDE

Dire que vous êtes stupide est peut-être un abus de langage. D'abord, qu'est-ce qu'une personne stupide ? (Ne levez pas votre main, je vous en prie !) Je ne pense pas qu'il y ait beaucoup de réels abrutis. En général, les gens savent comment s'y prendre pour réussir – certainement pas dans tous les domaines, mais au moins dans quelques-uns.

Personne n'a la science infuse. Personne n'a le cerveau rempli au point de ne plus pouvoir assimiler d'autres connaissances. Vous auriez intérêt à lire, à écouter et à apprendre un peu plus chaque jour. Le savoir n'a jamais été aussi abondant et accessible : les bibliothèques débordent de livres ; il y a des librairies partout (et la plupart servent du bon café) ; et Internet se répand en renseignements de toutes sortes (dont on ne veut pas toujours entendre parler). Vous ne devriez donc pas avoir de difficulté à vous informer sur quoi que ce soit si vous le souhaitez.

Si vous n'êtes pas vraiment stupide et que vous possédez un bagage suffisant de connaissances, qu'est-ce qui ne va pas ? Le problème, c'est que vous ne mettez pas vos connaissances à profit. Vous savez des choses, mais vous n'en faites rien. Autrement dit, vous êtes paresseux.

VOUS ÊTES PARESSEUX

On dit souvent que savoir, c'est pouvoir. Rien n'est plus faux, à mon avis. C'est l'un des mensonges les plus malheureux que la société s'amuse à perpétuer. En fait, c'est la mise en pratique du savoir qui donne du pouvoir.

> **Savoir n'est pas pouvoir.**
> **C'est la mise en pratique du savoir qui donne du pouvoir.**

L'important n'est pas ce qu'on sait, mais ce qu'on fait de son savoir. En soi, le savoir ne sert pas à grand-chose. Il faut un minimum d'effort pour le mettre en application. Et j'insiste sur *minimum*. C'est parfois tout ce que ça prend pour gagner sa vie. J'oserais même avancer qu'on n'est jamais obligé d'être au chômage.

Je connais une femme qui ramasse le caca de chien pour gagner sa vie. J'ai déjà été – ou plutôt mon chien a déjà été – un de ses clients. Elle se présentait chez moi une fois par semaine, passait environ cinq minutes à nettoyer ma cour, puis allait cogner à la porte de mon voisin. Son slogan : « Numéro 1 en numéro 2. »

Vous trouvez ça minable ? Vous avez tort. Cette femme raffole de son travail. Il lui permet de rencontrer des tas de chiens merveilleux – des animaux qu'elle adore – et de passer son temps au grand air – ce qui lui plaît tout autant. Et apparemment, les affaires vont bien, car elle se promène dans un camion flambant neuf.

L'autre jour, un jeune homme d'environ 20 ans a sonné à ma porte. Il m'a offert, pour cinq dollars, de repeindre le numéro de ma maison. J'ai accepté sans hésiter, car les chiffres s'étaient effectivement effacés avec les années. Il s'est mis à l'ouvrage et deux minutes plus tard, il allait sonner chez mon voisin. Nous avons bavardé un peu pendant qu'il travaillait. J'ai appris qu'il étudiait à l'Université d'Oklahoma et qu'il avait commencé ce boulot l'été précédent. En quelque 75 jours, il amassait suffisamment d'argent pour payer ses frais de scolarité et de résidence d'une année scolaire complète.

Vous voyez bien qu'il existe différentes façons de gagner sa vie. Il suffit de se décider, de se secouer et de faire un petit effort. Mais il semble que la plupart des gens préfèrent paresser. Ensuite, ils se plaignent d'être sans le sou. Mais dans le fond, ils sont bien contents de ne pas se faire suer.

De nos jours, ce n'est vraiment pas compliqué de se dénicher un emploi. La plupart des entreprises vous embaucheront malgré votre ignorance, votre incompétence, votre inexpérience. Tout ce qu'elles veulent, c'est que vous fassiez quotidiennement acte de présence (les normes sont rendues vraiment très basses). De nombreuses sociétés offriront même de vous former. Peut-être que ce ne sera pas le boulot de vos rêves, mais au moins, vous vous activerez et vous recevrez un chèque de paie. Au change, vous y gagnerez également en dignité et en respect.

Par ailleurs, il existe de nombreux programmes de formation gratuits ou très peu chers qui vous permettront de vous spécialiser et d'obtenir un emploi payant. Vous pouvez aussi consulter des ouvrages sur divers sujets. Ce n'est pas par ignorance, mais par paresse, que vous échouez. Lire un livre ne demande pas beaucoup d'effort. Vous n'avez même pas besoin de vous lever pour le faire. Mais en aurez-vous le cœur ? Je l'espère, mais selon toute probabilité, peu d'entre vous s'en donneront la peine. C'est malheureux. Vous devriez essayer.

VOUS ÊTES NONCHALANT

Voilà pourquoi vous êtes figé sur place, malheureux et pauvre. Je ferai preuve d'indulgence à votre égard si vous êtes vraiment stupide (du moins, temporairement), mais pas si vous êtes paresseux. Et je ne tolérerai même pas votre présence si vous êtes nonchalant.

La nonchalance et le je-m'en-foutisme sont des attitudes insultantes pour vous et votre famille. Si vous savez ce qu'il faut faire pour réussir et que vous négligez de le faire, vous êtes carrément pitoyable.

Auriez-vous le cran d'avouer à vos proches que vous ne les aimez pas assez pour améliorer leur situation ? C'est pourtant ce que vous faites quand vous ne daignez même pas lire un livre, prendre un cours, sortir du lit plus tôt, fermer la télévision ou travailler un peu plus fort ou un peu plus longtemps.

Je vous entends me dire que je suis injuste. Pas du tout ! Si vous êtes mentalement et physiquement capable d'améliorer votre sort et que vous ne le faites pas, c'est uniquement parce que vous ne vous aimez pas assez et que vous n'aimez pas assez vos proches pour le faire. Désolé, mais ça me rend malade.

Arrêtez de me raconter des histoires et admettez que vous pourriez en faire plus. J'en suis convaincu – peu importe les efforts que vous déployez actuellement. Ai-je tort ?

Si vous avez acheté ce livre, c'est probablement parce que vous êtes résolu à en faire davantage. Peut-être avez-vous seulement besoin d'être guidé. Alors mettons-nous au travail.

Au travail

Avec un peu de chance, vous êtes maintenant prêt à passer à l'action. Vous avez cessé de vous plaindre, vous avez mis de côté toutes vos excuses et vous êtes résolu à vous bâtir la vie de vos rêves. Mais avant tout, vous devez savoir un peu plus précisément ce à quoi vous aspirez. Vous ne pouvez pas courir dans tous les sens jusqu'à ce que tombiez sur ce que vous voulez. Vous devez littéralement poursuivre un but.

« Mais je sais ce que je veux. J'en veux plus ! »

Très bien. Alors voici un dollar. Vous en avez plus, maintenant. Ce n'est probablement pas ce que vous aviez à l'esprit, n'est-ce pas ? Pourtant, c'est ce que vous avez dit. Voilà pourquoi vous devez être plus explicite.

Dans les pages qui suivent, je vous aiderai à déterminer clairement ce que vous voulez et je vous montrerai comment l'obtenir.

Attelez-vous ! Nous allons nous amuser.

Chapitre 4

Comment choisir son existence et non vivre par défaut

《 Nous sommes tous des autodidactes, mais seuls ceux qui ont réussi vont l'admettre. 》

– Anonyme

Nous sommes à l'origine de notre bonne comme de notre mauvaise fortune. C'est ma faute si j'ai lamentablement échoué en affaires et déclaré faillite. C'est moi qui ai créé mes problèmes. Mais j'ai aussi créé mes succès et le bonheur dont je jouis maintenant. Il en va de même pour vous. Vous êtes responsable de votre situation actuelle.

Tout ce que nous faisons dans la vie, c'est penser, parler et agir. Tout cela a un impact sur ce qui nous arrive. C'est de cette façon que nous bâtissons nos échecs et nos succès.

> **Vos pensées, vos paroles et vos actions façonnent votre existence.**

Ce sont vos pensées, vos mots et vos actions qui vous rapprocheront de ce que vous voulez dans la vie ou qui vous en éloigneront. Ce sont les trois ingrédients clés de l'existence à laquelle vous aspirez et de celle que vous avez vécue jusqu'à maintenant.

Voyez-vous, vous n'avez pas de problèmes financiers, conjugaux, professionnels ou de santé, mais bien des problèmes de pensées, de paroles et d'actions. Et lorsque vous les aurez réglés, tout rentrera dans l'ordre.

Les pensées, les mots et les actions sont les trois forces créatives de l'univers. Maîtrisez-les, et le monde vous appartiendra.

Modifiez vos pensées

《 Nos pensées déterminent ce que nous sommes. 》

– Bouddha

Si vous avez une pensée étroite, vous obtiendrez des résultats limités, soit un mode de vie restreint, des expériences médiocres et peu de biens.

Votre pensée découle de la façon dont vous vous voyez et dont vous voyez vos capacités. Lorsque vous réussirez à améliorer cette représentation, vous penserez en termes plus vastes. Votre conception du monde changera et vous serez en mesure de vous exprimer et d'agir différemment.

《 Pour vivre une vie axée sur l'excellence, il suffit d'avoir des pensées axées sur l'excellence. 》

– Charles Swindoll

Réfléchissez à votre moi idéal. Évoquez-le régulièrement et demandez-vous si ce à quoi vous pensez est en accord avec cette représentation. Si vous répondez par la négative, changez de pensée.

《《 Chaque jour, nous devons nous concentrer sur nos aspirations. Et puisque nous sommes voués à évoluer en fonction de nos pensées, nous devrions nous débarrasser de toutes celles qui sont sans intérêt, et voir les choses en grand. 》》

– Ernest Holmes

Réfléchissez à votre étiquette

《《 Car par vos mots, vous serez justifié et par vos mots, vous serez condamné. 》》

– Matthieu 12:37 KJV

Il y a quelques années, je me suis fait faire une plaque d'immatriculation qui m'identifiait comme un gagnant (« WINNER »). Je n'avais aucune idée du genre d'effet que cette étiquette aurait sur ma vie, mais j'ai bientôt découvert que je ne pouvais plus faire les choses comme avant. Je ne pouvais plus manifester mon impatience en klaxonnant, couper une file de voitures ou me promener dans un véhicule sale (mais jamais je n'aurais fait ça !). Et pourquoi ? Eh bien parce qu'un gagnant ne se comporte pas ainsi. Il fallait dorénavant que j'agisse conformément à l'étiquette que je m'étais donnée. Je me suis rapproché de l'état de gagnant tout simplement en me proclamant gagnant.

Accolez-vous une étiquette et vous l'incarnerez. Dites-vous que vous êtes un gagnant et vous le deviendrez. Dites-vous que vous êtes pauvre, stupide et incapable, et voyez ce qu'il adviendra de vous. Je parie que ça ne vous enchantera pas.

Modifiez vos paroles

Encore une fois, réfléchissez à votre moi idéal. Puis demandez-vous si les mots que vous utilisez sont en accord avec cette représentation. S'ils ne le sont pas, changez votre façon de parler.

Si vous avez l'habitude de dire que vous n'avez jamais rien compris aux chiffres, que vous attrapez toujours le rhume pendant l'hiver et que tout ce que vous mangez s'en va directement dans vos hanches, il y a peu de chances que le contraire se produise.

Vos paroles anticipent les événements. Les mots que vous utilisez attirent la vie, celle à laquelle vous aspirez ou celle dont vous souhaiteriez vous débarrasser.

Lorsque je travaillais dans le secteur des télécommunications, je suis arrivé à un point où je détestais mon emploi. Chaque dimanche soir, j'avais le cafard juste à penser à ce qui m'attendait le lendemain. Un jour, j'ai dit à ma femme que je donnerais n'importe quoi pour ne plus avoir à faire ce boulot. J'ai été entendu, mais pas clairement. Dans mon esprit, *n'importe quoi* ne signifiait pas *tout*. C'est pourtant ce qui s'est produit. J'ai tout donné. Ou plus exactement, j'ai tout perdu : mon travail, mon entreprise, mon argent, mes voitures, tout. Faites attention à ce que vous dites, car ça va arriver.

Plutôt que de parler de ce que vous craignez ou de ce que vous ne voulez pas, commencez aujourd'hui à proclamer haut et fort vos aspirations et vos désirs. Commencez par le texte ci-dessous. Vous pourrez toujours le personnaliser plus tard.

AUJOURD'HUI

Je suis reconnaissant pour toutes les bonnes choses qui m'arriveront aujourd'hui. Ce sera une journée remplie de joie, d'amour, d'énergie, de santé et de prospérité. Je rendrai service aux autres en leur offrant ce que j'ai de mieux. Je serai en santé, je me maintiendrai en santé et je n'accepterai rien de moins que la perfection dans ce domaine. J'accueillerai l'abondance et la prospérité qui me reviennent et je les partagerai volontiers avec autrui. Je me concentrerai sur le moment présent, sans penser au passé ni à l'avenir. Je serai rempli d'amour pour les autres et pour moi-même. J'apprécierai pleinement mes possessions et mes actions. Je chérirai et célébrerai chaque instant de cette journée !

Je lis ce texte chaque jour depuis plusieurs années. Lorsque j'oublie de me concentrer sur mes aspirations et que le doute s'installe en moi, je le lis plusieurs fois dans la journée. Utilisez-le ou rédigez-en un qui convient davantage à votre situation. Écrivez ce que vous avez besoin d'entendre pour mener l'existence dont vous rêvez.

Les mots sont puissants, mais ils ne suffiront pas à changer votre situation. S'ils ne sont pas mis en œuvre, ils ne serviront à rien. Si vous croyez le contraire, vous vous faites des illusions. L'action est essentielle.

Modifiez vos actions

Vos actions découlent de vos pensées et de vos croyances. Si elles ne vous permettent pas d'obtenir les résultats auxquels vous aspirez, c'est parce que vous n'entretenez ni les bonnes pensées ni les bonnes croyances.

Réfléchissez à votre moi idéal. Puis demandez-vous si vos actions sont en accord avec cette représentation. Autrement dit, demandez-vous si vous agissez dans votre meilleur intérêt. Puis modifiez votre comportement en conséquence.

« Mais, Larry, j'ai toujours fait les choses ainsi. »

Justement, regardez ce que ça vous a donné. Votre situation est ce qu'elle est aujourd'hui parce que vous avez toujours fait les choses de la même manière. Si vous voulez autre chose, vous devrez modifier vos méthodes. Vous devrez changer. Alors allez-y !

Vous voulez sans doute savoir ce qu'il faut faire pour changer. Ne craignez rien, je vais vous le dire. Mais je vous avertis, ça ne va pas du tout vous plaire. Pour changer, il faut… changer. Ça ne fait pas votre affaire, hein ? Je vous l'avais bien dit. Vous auriez préféré que je vous décrive un long processus compliqué, fastidieux, en plusieurs étapes. Désolé, ça ne marche pas comme ça. Pour changer, il faut juste changer.

Cessez dès aujourd'hui de faire les choses comme avant. Ne pensez plus comme avant. Ne parlez plus comme avant. N'agissez plus comme avant.

> **« Si vous faites toujours la même chose, vous obtiendrez toujours les mêmes résultats. S'ils ne vous plaisent pas, vous devrez changer de comportement. »**
>
> **– Zig Ziglar**

Avez-vous compris ? C'est moins difficile que vous le croyez. Certains disent qu'il vaut mieux commencer par faire de petits changements, qu'ils finiront par s'additionner. Faux ! Vous avez plutôt intérêt à ratisser large. Changez votre façon de penser, de parler, de vous alimenter, fréquentez d'autres gens, d'autres endroits, lisez de nouveaux livres et regardez de nouvelles émissions de télé. Si j'étais raté, fauché et malheureux, j'irais même jusqu'à me brosser les dents autrement dans l'espoir que ça me donne quelque chose. N'oubliez pas qu'on récolte ce qu'on a semé. Si vous n'aimez pas ce que vous obtenez, changez de semence.

Arrêtez d'essayer

À ce stade-ci, je vous ai probablement convaincu. Je vous entends me dire : « OK, Larry, je vais essayer de changer. » Alors oubliez ça. Si vous n'êtes prêt qu'à essayer, ne commencez même pas. Je déteste le mot *essayer*. Comme l'a dit Yoda à Luke Skywalker dans *La guerre des étoiles* : « Fais-le ou ne le fais pas. Mais il n'y a aucun essai. »

Si je vous dis que j'essaierai d'aller à la réception que vous donnez ce soir, pensez-vous vraiment que je le ferai ? Allons donc ! Vous utilisez probablement la même formule comme stratégie d'évitement. *Essayer* est un mot dont on se sert lorsqu'on n'a pas assez de couilles pour dire la vérité. Voici une version courageuse de notre échange. Vous : « Viendras-tu à ma fête ce soir ? » Moi : « Non. Je préférerais m'arracher les yeux avec une carotte plutôt que d'aller m'emmerder à ta stupide fête ! ». Ça, c'est ce qu'on appelle de l'honnêteté !

Personne n'oserait donner une telle réponse, n'est-ce pas ? C'est beaucoup plus commode de dire « J'essaierai ». Mais c'est un prétexte, une porte de sortie, une façon de ne pas être tenu responsable d'un éventuel échec. Un engagement, en revanche, est une promesse que l'on peut être tenu de respecter.

Arrêtez d'essayer et de dire que vous allez essayer. Faites les choses ou ne les faites pas. D'ailleurs, comment s'y prend-on pour essayer ? Essayez donc de saisir votre crayon ou un quelconque objet, pour voir. Impossible, hein ? Soit vous le prenez, soit vous ne le prenez pas. Un point c'est tout. Il n'y a pas d'entre-deux. *Essayer* est l'excuse qu'on donne pour s'abstenir. C'est une mauvaise habitude. Abandonnez-la.

Chaque chose a son importance

Toutes vos pensées, toutes vos paroles et toutes vos actions ont de l'importance. Elles vous font prendre une direction ou l'autre. Chaque fois que vous vous dites incapable de faire quelque chose, vous vous éloignez de votre but. Chaque échange, même le plus insignifiant à vos yeux, a une incidence sur vos aspirations.

« Si je te comprends bien, Larry, le simple fait de bavarder avec mes collègues dans le corridor aura un impact sur ma situation financière, ma santé, mon succès ou mon bonheur. »

Absolument. Chaque mot compte. Si vos conversations sont des ramassis de doléances ou de médisances, elles éliminent vos chances de succès.

Il en va de même de vos actions. Regarder la télévision plutôt que de jouer avec vos enfants ou discuter avec votre conjoint peut vous sembler sans importance, mais ça compte. Tout comme dormir trente minutes de plus au lieu de faire de l'exercice, ne pas rappeler vos clients au moment convenu, arriver avec quinze minutes de retard.

« Allons, Larry ! Tu n'es pas sérieux. Ces choses-là ne comptent pas. Ça fait des années que j'agis comme ça, et il ne m'est jamais rien arrivé de catastrophique. »

Je parie qu'il ne vous est rien arrivé de grandiose non plus. Ce genre de choses vous arrivera uniquement quand vous commencerez à soigner les détails et à profiter de chaque instant de la vie. La plupart des gens négligent ces aspects au détriment de choses soi-disant importantes. Et après, ils s'étonnent de ne pas être riches, heureux, en santé, prospères et bien entourés. Ignorer les détails est la façon la plus sûre de mener une existence médiocre – ni désastreuse, ni merveilleuse.

MARQUÉE À VIE

Voici une anecdote qui vous donnera une idée de l'importance des détails. Mon épouse et moi étions en train de prendre un verre dans un bar lorsqu'une jeune femme assise à la table d'à côté a engagé la conversation avec nous.

Jeune femme : Je parie que vous avez une moto.

Larry : Pourquoi dites-vous ça ?

J.F. : Vous en avez tous les signes extérieurs : tête rasée, barbichette, bottes et verres fumés. Vous devez aussi avoir des tatouages.

L. : Effectivement, j'en ai quelques-uns.

J.F. : Moi aussi !

Elle nous a alors montré le cœur brisé qu'elle avait sur la hanche.

L. : Pourquoi un cœur brisé ?

J.F. : Je trouve ça joli.

L. : Mais vous savez, c'est une façon de dire au monde entier, et surtout à chaque homme que vous rencontrez, que vous avez le cœur brisé.

J.F. : …

L. : Comment vont vos amours ?

J.F. : Pas très bien. En fait, depuis un bon bout de temps, tous les hommes que je rencontre me traitent comme de la m... Je n'arrive pas à avoir une relation à long terme.

L. : Quand est-ce que ça a commencé ?

J.F. : Il y a environ cinq ans.

L. : Depuis combien de temps avez-vous votre tatouage ?

J.F. : Depuis environ cinq ans.

L. : Vous ne voyez pas le lien ?

J.F. (une lueur d'amusement dans les yeux) : Allons, vous ne croyez tout de même pas que c'est à cause de mon tatouage si ma vie amoureuse est un vrai désastre ?

L. : Absolument !

J.F. : Qu'est-ce que je devrais faire ?

L. : Vous devriez faire compléter votre cœur. Ainsi, vous direz au monde entier − et surtout à tous les hommes que vous rencontrerez − que vous avez un cœur rempli d'amour.

Elle a couru au studio de tatouage.

Il faut être prudent lorsqu'on proclame quelque chose sur soi-même, que ce soit par le truchement des mots, des actions ou même des tatouages. Le moindre détail est important.

Optez pour une existence extraordinaire. Distinguez-vous de la masse et soignez les détails. Vos moindres pensées, paroles ou actions ont un énorme impact sur votre vie.

Choisissez votre vie

Si vous ne savez pas ce que vous voulez, il y a peu de chances que vous l'obteniez. Vous devrez vous contenter de ce qui reste. J'ai horreur des restes. J'aspire à quelque chose d'inédit qui me conviendra parfaitement.

Sur la page suivante, vous trouverez un questionnaire qui vous aidera à préciser vos aspirations. Prenez tout le temps qu'il vous faut pour le remplir. Réfléchissez à chaque question et répondez de façon détaillée. N'oubliez pas que vous êtes en train de créer votre vie.

QUELLES SONT MES ASPIRATIONS ?

⊙ Qu'est-ce que je veux accomplir avant de mourir ?

_____

_____

⊙ Qu'est-ce que je veux posséder que je n'ai pas encore ?

_____

_____

⊙ Quelle sorte de voiture je veux vraiment conduire ?

_____

_____

⊙ Dans quel genre de maison je veux habiter ?

_____

_____

⊙ Dans quelles boutiques je veux vraiment magasiner ?

_____

_____

⊙ Quel genre de vêtements je veux porter ?

_____

_____

⊙ Quel genre de bijoux je veux porter ?

_____

_____

⊙ Dans quels restaurants je veux manger ?

_____

_____

⊙ Quels pays je veux visiter ?

_____

_____

⊙ Qu'est-ce que je veux faire de mes temps libres ?

_____

_____

⊙ Avec qui je veux passer plus de temps ?

_____

_____

⊙ Qu'est-ce que j'aimerais vraiment faire si je n'avais pas à me préoccuper du temps ni de l'argent ?

_____

_____

⊙ Quel serait mon poids idéal ?

_____

_____

⊙ Combien d'argent je veux gagner chaque année ?

_____

_____

⊙ Combien d'argent je veux épargner/investir ?

_____

_____

⊙ Combien d'argent je veux donner chaque année ?

_____

_____

⊙ Quel genre de relation je souhaite vraiment entretenir avec mon conjoint/partenaire/amant/ami spécial ? mes enfants ? ma famille ? mes collègues ? mes amis ? Dieu ?

_____

_____

_____

_____

_____

⊙ Résumez votre vie idéale en quelques lignes :

_____

_____

_____

_____

_____

_____

_____

La vie à laquelle vous aspirez est-elle très différente de la vie que vous menez actuellement? Je parie que oui. Vous devez maintenant faire preuve d'honnêteté. Réfléchissez à ce que vous faites actuellement pour réaliser vos rêves et inscrivez-le dans l'espace ci-dessous. Si vous ne savez pas par quoi commencer, vous pouvez toujours écrire que vous êtes en train de lire ce livre et de remplir des questionnaires. Voilà. Je vous ai donné le premier élément. À votre tour maintenant.

CE QUE JE FAIS POUR RÉALISER MES ASPIRATIONS

1 - Je lis *Tais-toi, arrête de te plaindre, déniaise*

2 - _____

3 - _____

etc.

OK, ça, c'est ce que vous *prétendez* faire. Je parie le prix de ce livre que vous ne vous êtes pas rendu à 15. En fait, très peu de gens font une quinzaine de choses pour améliorer leur existence. Je vous donne maintenant une autre occasion de dire la vérité et rien que la vérité.

LES 5 CHOSES QUE JE FAIS VRAIMENT POUR RÉALISER MES ASPIRATIONS

1 - _____

2 - _____

3 - _____

4 - _____

5 - _____

Avez-vous mieux réussi cette fois ? J'espère que vous faites *au moins* cinq choses pour améliorer votre sort. Sinon, sachez que ce sera le cas bientôt et que vous pourrez même remplir la liste précédente. Dès que vous prendrez les premières mesures pour bâtir la vie à laquelle vous aspirez, vous mettrez en branle un processus qui vous facilitera les choses. Vous vous concentrerez de plus en plus sur ce travail de création. Vous en ferez une obsession. Vous serez l'incarnation même de cette liste. Dans la glace, vous vous verrez à votre poids idéal, dans les vêtements que vous voulez porter. La voiture de vos rêves sera garée devant la maison de vos rêves. Vous aurez des relations enrichissantes et profiterez pleinement de la vie.

Mais attention ! Il y a un prix à payer pour que cette existence se concrétise. Rien n'est gratuit. Peu importe la vie que vous choisissez.

Vous voulez être en forme et en santé ? Vous devez moins manger et faire plus d'exercice.

Vous voulez être riche ? Vous devez travailler plus fort, plus longtemps et plus intelligemment. Vous aurez moins de temps pour regarder la télévision ou jouer au golf.

Vous voulez être heureux ? Vous devez abandonner tout ce qui vous rend malheureux.

Vous ne voulez rien ? Il y a aussi un prix à payer pour cela. Ça s'appelle pauvreté, maladie, ennui, apathie, médiocrité, conflits et ainsi de suite.

En réalité, vous devez payer quel que soit votre choix. Vous feriez aussi bien d'opter pour l'existence à laquelle vous aspirez. Heureusement, cette vie coûte moins cher que celle dont vous ne voulez pas. Il est en effet beaucoup plus économique d'être heureux et en santé que misérable et malade.

À vous de choisir.

Chapitre 5

Sacrifions les vaches sacrées de la croissance personnelle

Vous venez de passer un certain temps à réfléchir à l'existence que vous voulez mener et à ce que vous devez faire pour y arriver. Avec un peu de chance, vous en avez maintenant une bonne idée. Vous l'avez même couchée par écrit. Félicitations ! Très peu de gens en ont fait autant.

Voici venu le temps de prendre tous les moyens nécessaires pour réaliser vos aspirations. Vous et moi allons faire l'inventaire des différents secteurs de votre vie et voir comment, à travers chacun d'eux, vous pouvez vous bâtir l'existence que vous voulez.

Vous pensez probablement que je m'apprête à passer en revue les thèmes habituels de la croissance personnelle : atteinte des objectifs, attitude positive et autre verbiage motivationnel. Pas du tout. Mon approche est très différente. Et elle commence par une critique de tous ces concepts que vous connaissez bien.

Certains d'entre vous n'aimeront pas mon approche. Mais comme vous l'avez sans doute deviné… je m'en fous.

D'autres seront convaincus que je suis dans l'erreur, car les idées que j'avance ne correspondent pas du tout à celles dont ils se font bombarder le cerveau depuis des années. Mais *différent* ne signifie pas *faux*. C'est justement parce que mon point de vue n'est pas conventionnel que vous devriez vous donner la peine de l'écouter.

《 Toute grande vérité commence par un blasphème. 》
– George Bernard Shaw

Attitude et motivation

Je n'irai pas par quatre chemins : tout n'est pas une question d'attitude et de motivation. En fait, ça ne donne pas grand-chose d'avoir une bonne attitude, et personne ne peut vous motiver.

« Quoi ? Comment peux-tu dire ça, Larry ? J'ai plein de livres, j'assiste à plein de conférences et j'écoute plein de CD qui disent le contraire. Je ne comprends pas ce que tu veux dire. Explique-toi ! »

Avec plaisir. Est-ce que vous êtes devenu riche, heureux, en santé et prospère en lisant ces livres, en assistant à ces conférences et en écoutant ces CD ? Non ? CQFD. Rien de cela ne fonctionne vraiment. (Au fait, si vous êtes vraiment riche, heureux, en santé et prospère, je m'en réjouis pour vous. Mais je suis certain que ce n'est pas grâce à votre belle attitude et aux séminaires de motivation.)

Vous vous sentez stupide, hein ? Ne vous en faites pas, je suis passé par là, moi aussi. J'ai lu des milliers de livres sur la motivation et la croissance personnelle. J'ai écouté mon lot de cassettes sur le sujet. J'ai payé des fortunes pour entendre tous ces gourous claironner sur l'importance d'être motivé 24 heures sur 24. Apparemment, tout allait devenir possible pour moi. J'étais suspendu à leurs lèvres, je buvais leurs paroles, convaincu que, si seulement je pouvais changer d'attitude, ma vie serait transformée. (Au fait, plusieurs de ces conférenciers sont devenus mes bons amis.) Résultat : j'ai eu une attitude constructive toute ma vie. Pourtant, ça ne m'a pas empêché d'avoir un nombre inimaginable d'emmerdements. J'ai déclaré faillite, j'ai eu des problèmes financiers et conjugaux, j'ai perdu mon entreprise et j'ai ruiné ma santé.

Je sais que c'est difficile à avaler, car ça contredit tout ce que vous avez entendu dans les séminaires sur la croissance personnelle, tout ce que vous avez appris dans les livres et les conférences et tout ce que proclament les t-shirts, affiches, petites pierres, épinglettes, porte-bonheur et le reste. Oubliez ça. Ce n'est pas vrai, que tout est une question d'attitude !

LE VÉRITABLE RÔLE DE L'ATTITUDE

C'est vrai qu'il est important d'avoir une bonne attitude. Ça aide à composer avec les événements. Mais le hic, c'est que les gens ont tendance à penser que leur bonne attitude empêchera les malheurs de se produire et améliorera leur sort. Rien n'est plus faux. Vous pouvez très bien avoir une bonne attitude tout en restant paresseux et stupide. Ce sont les actions, les pensées et les paroles qui font bouger les choses. N'oubliez pas l'importance de ce trio : c'est lui qui façonne votre vie.

L'IMPORTANCE DE LA MAUVAISE ATTITUDE

Il m'arrive d'avoir une très mauvaise attitude. Une attitude parfaitement négative. Peu de spécialistes de la croissance personnelle vous feront ce genre d'aveux. Mais vous savez maintenant que je suis atypique. Je suis donc heureux de vous annoncer que certains jours, je suis tout sauf positif. J'en ai besoin. Et vous aussi.

« Mais, Larry, ça n'a aucun sens. Pourquoi aurais-je besoin d'être négatif ? Et d'abord, pourquoi en as-tu besoin, toi ? »

Ça m'est utile. Et je pense que ça vous serait tout aussi profitable. En avoir sa claque a parfois du bon. De temps à autre, vous devez être excédé par votre propre personne, par la façon dont vous élevez vos enfants, dont vous vous comportez avec votre conjoint, dont vous menez vos affaires. La colère et l'irritation peuvent être de grands motivateurs. À l'occasion, c'est ce que ça prend pour changer.

Si vous voulez améliorer votre existence, il faut d'abord qu'elle vous exaspère.

En réalité, il ne s'agit pas d'avoir une bonne ou une mauvaise attitude, mais de savoir ce qui fonctionne et ce qui ne fonctionne pas, ce qui vous fera bouger, avancer. Peu importe que votre verre soit à moitié vide ou à moitié plein. L'essentiel est que son contenu étanche votre soif.

Commencez-vous à comprendre pourquoi je suis le conférencier le plus énervant du monde ? Je ne sais pas si je peux vous aider à avancer, mais je suis convaincu qu'à force de vous pousser à en avoir marre de votre situation, vous voudrez au moins bouger.

> **Si vous voulez améliorer votre existence,
> il faut d'abord qu'elle vous exaspère.**

COMBINEZ ATTITUDE ET TRAVAIL

Travail. Quel mot horrible qui évoque l'effort et, plus précisément, l'effort de servir autrui. Mais c'est la raison pour laquelle on vous paie. En effet, le service est toujours récompensé, c'est une loi universelle.

« Les récompenses que vous recevez dans la vie, a dit Earl Nightingale, sont directement proportionnelles aux services que vous rendez. » Quelle noble idée. Mais il ne faut jamais oublier que le service, c'est du travail.

C'est plus intéressant d'avoir une bonne attitude face à son travail. C'est plus valorisant, plus plaisant, plus efficace et plus payant. Mais même un travail effectué avec une mauvaise attitude est récompensé. Ce n'est pas pour votre attitude qu'on vous paie, c'est pour votre travail. Alors, n'oubliez jamais ces ingrédients : travail, effort, service !

Au service des autres

Le service doit être le but de toute votre existence. Votre succès, votre bonheur et votre prospérité en dépendent.

D'une façon ou d'une autre, vous serez payé pour :

- ⊙ aider les autres.
- ⊙ servir les autres.
- ⊙ aimer les autres.
- ⊙ rendre les autres heureux.
- ⊙ rassurer les autres.
- ⊙ faciliter la vie des autres.

Vous trouvez que ça relève de la métaphysique, de la philosophie, de la spiritualité, des théories « nouvel âge » ? Vous avez raison ! Mais quels que soient les efforts que vous déployez dans votre vie personnelle ou professionnelle, ils ont un rapport avec l'une ou l'autre de ces tâches.

Même si ça ne vous saute pas aux yeux, ce que vous faites actuellement fait partie de cette liste. Toutes les entreprises fabriquent des produits ou fournissent des services qui remplissent une ou plusieurs de ces fonctions. Celles qui ont compris ce principe et le mettent en application s'épanouissent. Les autres finissent par se planter.

De même, les gens qui comprennent que leur but est de servir autrui vivent dans l'abondance. Les autres vivent dans la médiocrité.

De meilleurs êtres humains

Je suis sûr que vous avez déjà entendu au moins un conférencier dire que nous sommes «des êtres humains, pas des machines». C'est très accrocheur comme formule. À ma grande honte, je l'ai déjà servie moi-même. Il m'est arrivé en effet de renier mes propres principes.

L'idée sous-jacente à cet aphorisme est que notre société a tendance à se soucier du faire au détriment de l'être, et que nous devrions davantage nous concentrer sur ce que nous sommes et moins sur ce que nous faisons. C'est bien beau tout ça, mais ce n'est pas pertinent. En réalité, nous ne faisons pas grand-chose ; nous sommes bien trop occupés à regarder la télévision. Assis sur nos gros derrières, nous nous adonnons au voyeurisme. Nous regardons des gens avoir des relations plutôt que d'entretenir les nôtres. Nous les regardons faire la cuisine pendant que nous mangeons du *fast food*. Nous les regardons faire du sport, décorer leur maison, transformer leur look, avoir des relations sexuelles, pendant que nous ne faisons rien. Nous ne préférons pas être, nous préférons regarder. C'est moins risqué. Ça demande moins d'effort.

Bien entendu, il y a des gens qui s'activent, mais c'est une minorité. Le commun des mortels regarde la télévision et critique les autres, convaincu qu'il ferait mieux. Ça me rend malade! De grâce, arrachez-vous de votre sofa et faites quelque chose!

Nous aimons bien la formule voulant que nous soyons «des êtres humains et pas des machines». Elle justifie l'oisiveté. Avec ce principe en tête, nous pouvons nous faire accroire que nous avons intérêt à en faire moins pour nous concentrer sur notre être. Nous avons tout intérêt à améliorer notre être, à cultiver notre intelligence, notre amour, notre spiritualité, notre bonté, notre santé, etc. Mais, dans la plupart des cas, nous ne le faisons pas. Pourquoi? Parce que ça demande des efforts. Pour être meilleur, il faut d'abord *faire* plus.

Il faut faire beaucoup d'efforts pour devenir un meilleur être humain. C'est la raison pour laquelle si peu de gens y arrivent. Vous aurez beau passer une éternité sous un arbre, à réfléchir aux différentes façons de vous améliorer, tant que vous ne vous lèverez pas, que vous ne vous secouerez pas et que vous ne ferez pas quelque chose, rien ne changera.

Je ne suis pas en train de dénigrer la méditation, la prière, l'introspection ou toute autre pratique du genre. Moi-même, je fais de la méditation, et je trouve ça merveilleux. Mais je considère que ces activités doivent avant tout nous aider à clarifier nos buts, à comprendre nos aspirations et à déterminer la façon dont nous voulons servir autrui.

Pour devenir de meilleurs êtres humains... faites quelque chose!

Vous souvenez-vous de vos leçons de grammaire? Vous souvenez-vous des verbes d'état? Probablement pas. Laissez-moi donc vous rafraîchir la mémoire. Un verbe d'état est un verbe qui exprime l'existence ou la manière d'être d'une personne. On dit que c'est l'opposé d'un verbe d'action. Je pense qu'on ne rend pas tout à fait justice aux verbes d'état. Selon moi, ils reflètent aussi des actions.

> Si vous existez, vous devez agir.
> Car tout ce qui existe agit.
> Dès lors, si vous ne faites rien, vous n'existez pas.

Existez-vous ? Bien sûr. Et puisque vous existez, vous devez agir. Je ne suis pas en train de dire que vous ne faites rien. Vous faites des choses : vous regardez la télévision, ronchonnez, mangez trop et ainsi de suite.

Vous *faites* des choses ; le hic, c'est que vous ne faites rien de productif. Vous ne rendez service à personne et vous n'aidez personne. Vous restez assis à regarder le monde évoluer, ce monde cruel qui vous maltraite et vous rend malheureux. Pas étonnant que vous ne soyez pas vraiment prospère. Eh bien, c'est le temps d'y remédier !

FAITES CE QUE VOUS DEVEZ FAIRE

Ce n'est pas moi qui vous dirai quoi faire. Je ne veux pas insulter votre intelligence. Vous savez très bien comment vous y prendre pour transformer et améliorer votre existence. Mais comme je vous l'ai déjà dit, tout le problème vient du fait que vous ne mettez pas votre savoir en pratique.

Je ne suis pas là pour vous motiver. Cette affirmation peut sembler étrange, venant d'une personne qui a écrit plus d'une douzaine de livres et enregistré de nombreux CD sur la croissance personnelle, et qui donne des conférences sur le sujet pour gagner sa vie. Mais la vérité est souvent étrange. Vous seul trouverez vos motivations. Ne comptez pas sur les livres, CD, conférenciers, professeurs, prédicateurs pour le faire à votre place. Vous ne changerez que lorsque vous serez prêt et résolu à le faire. Par contre, ce que les livres, CD et discours de motivation peu-vent faire pour vous, c'est vous aider à trouver ces motivations et vous convaincre que vous êtes capable de changer. Toutefois, la plupart n'y arrivent pas. Ils vous aident plutôt à bien vous sentir dans votre état *actuel*, ce qui ne vous mènera nulle part.

Voilà pourquoi je soutiens que les soi-disant outils de motivation sont totalement inefficaces. S'ils l'étaient, les motivateurs dirigeraient le monde et seraient multimillionnaires. Croyez-moi, ce n'est pas le cas. Je ne discrédite pas leur travail. En réalité, je suis très redevable à ceux qui, plutôt que de me réconforter, m'ont enseigné que je pouvais améliorer mon existence en m'activant.

Confiance en soi versus croyance en soi

La plupart des outils de motivation vous aideront à avoir *confiance* en vous. Or, ce sentiment ne changera pas votre vie. C'est lorsque vous *croirez* en vous que vous pourrez changer. Ces deux concepts sont très différents. C'est le fait de croire en vos capacités qui vous propulsera vers l'avant. Vous pourrez alors accomplir de grandes choses.

La plupart des motivateurs et des outils de motivation enseignent les choses à l'envers. D'après eux, il faut être bien dans sa peau et avoir confiance en soi pour être en mesure d'agir. Dans un monde idéal, ça fonctionnerait probablement dans ce sens. Mais pas dans notre société, où on nous rappelle constamment que nous ne sommes pas assez bien pour entreprendre quoi que ce soit. Vous savez quoi? Vous ne vous sen-tirez jamais suffisamment bien dans votre peau et vous n'aurez jamais suffisamment confiance en vous pour faire ce que vous voulez. Mais ce n'est pas une raison pour stagner.

Vous pouvez accomplir pratiquement n'importe quoi. Mais pour y parvenir, vous devez agir, et non pas chercher à tout prix à bien vous sentir dans votre peau. Pour cette fois, l'action devra prendre le pas sur les sentiments. C'est la seule façon d'arriver à quelque chose. Commencez. Puis recommencez – encore et encore. Vous ne réussirez pas du premier coup. Mais vous devrez trouver le courage d'en faire plus la fois suivante.

Pour faire quoi que ce soit, vous devez agir, peu importe votre sentiment de bien-être ou de mal-être, peu importe votre attitude. Alors faites quelque chose, n'importe quoi. Si ça ne vous convient pas, vous le découvrirez bien assez tôt. Allez-y. Lancez-vous. Maintenant.

L'IMAGE DE SOI N'EST PAS LA SOLUTION

Les motivateurs vous diront que l'image que vous avez de vous-même est de la plus haute importance. Faux. Cette image est basée sur votre état – tout comme le fameux sentiment de bien-être. Vous n'avez pas une très belle image de vous-même ? Sans blague ! Pourquoi ne pas aller vous épancher chez Oprah, Jerry ou Montel pour que le monde entier compatisse avec vous ? Plaignez-vous plutôt que de prendre vos responsabilités. Ça sera sans doute très utile.

Encore une fois, ce n'est pas comment vous vous sentez qui importe ici. Je m'en fiche comme de l'an quarante. Ce qui compte, c'est ce que vous croyez être capable de faire. Et vous pouvez faire pratiquement n'importe quoi si vous exploitez bien vos capacités.

Les gens réussissent à accomplir des choses étonnantes. J'en connais qui, malgré les obstacles redoutables qu'ils doivent surmonter, comptent de grandes réalisations à leur actif. L'important, c'est la conviction. Vous devez être *persuadé* de pouvoir faire des choses fantastiques. Elles ne seront pas parfaites dès le début. Commencez modestement. Continuez en puisant en vous le courage d'en faire plus. Recommencez. Petit à petit, vous ferez des merveilles.

Traditionnellement, on dit qu'une personne est motivée quand une force extérieure l'inspire pour l'amener à faire tout ce qu'elle désire du fond de son petit cœur. Vous comprenez maintenant pourquoi j'affirme que vous ne pouvez pas être motivé. Pour accomplir une chose, *vous* devez être convaincu d'en être capable. Si d'autres y sont parvenus, vous pouvez y arrivez vous aussi. Il n'y a pas de gens spéciaux. Il y a seulement des gens qui ont suffisamment de courage pour commencer à faire quelque chose, qui sont prêts à risquer d'échouer et qui continueront jusqu'à ce qu'ils en viennent à bout.

VOUS DEVEZ VOUS SENTIR MAL À L'AISE

On est loin du sentiment de bien-être cher aux motivateurs, n'est-ce pas ? Je vous avais bien dit que mon approche était différente. Je sais à quel point il est important pour vous d'être bien dans votre peau. Mais ça ne vous a jamais mené nulle part. N'ayez pas peur d'abandonner le confort. Ça pourrait vous rapporter.

Voici un exemple qui vous permettra de comprendre où je veux en venir. Environ soixante-dix pour cent des Américains font de l'embonpoint. Vous ne me croyez pas ? Eh bien, regardez autour de vous, à commencer par votre reflet dans le miroir. À un moment donné, je me suis moi aussi retrouvé avec une bonne douzaine de kilos en trop. Pour en arriver là, j'avais compris le truc : je portais beaucoup de vêtements noirs dans des tailles toujours plus grandes. Quand, une fois habillé, je me regardais dans le miroir, je me trouvais pas mal. Vous ne perdrez pas un gramme tant que vous vous trouverez « pas mal ». Mais si par hasard vous jetez un coup d'œil au miroir quand vous vous rendez aux toilettes à trois heures du matin, votre gros ventre et votre gros derrière vous sauteront aux yeux. C'est ce qui m'est arrivé. Et c'est encore pire quand la personne en qui vous avez confiance s'exclame, au moment où vous revenez de la salle de bains : « Mais tu es énorme ! » (et pas dans le sens où tout homme voudrait l'entendre !) Je vous garantis que vous ferez quelque chose pour remédier à la situation. *Ça, c'est de la motivation !*

Voyez-moi comme cet être cher qui vous voit revenir de la salle de bain et vous trouve énorme. Je veux que vous vous sentiez mal à l'aise, inconfortable. C'est seulement à ce moment-là que vous commencerez à changer.

Seul l'inconfort pousse à changer. Pourquoi vous tortillez-vous sur votre chaise ? Parce que vous êtes inconfortable. Si votre position actuelle est trop confortable, vous ne bougerez pas. Vous resterez là où vous êtes.

Je veux que mes mots vous rendent inconfortable. Pourquoi ? Parce que je veux que vous changiez et que vous découvriez le meilleur de vous-même. Je veux que vous croyiez en vos capacités de faire, de créer, d'accomplir et de réaliser.

Je vous orienterai. Je vous encouragerai. Je vous aiderai à prendre les mesures qui s'imposent. Par là, j'entends les mesures qui vous permettront de réaliser vos aspirations et non celles qui jusqu'à maintenant vous ont fait courir comme une poule sans tête.

DIRECTION ET PLANIFICATION

La motivation, c'est comme un ballon. On gonfle le ballon, on en attache l'extrémité et on joue. On peut aussi gonfler le ballon et le lâcher dans les airs. C'est amusant de le voir alors voler partout pendant quelques instants. Mais il faut le regonfler si on veut encore s'en servir. On peut faire ça à quelques reprises, jusqu'à ce que le ballon éclate ou sorte par la fenêtre. Ça peut être drôle, mais on finit par se lasser.

Observez les gens qui sortent des séminaires de motivation. La plupart du temps, ils sont comme des ballons gonflés mais pas attachés. Ils rebondissent partout et déplacent beaucoup d'air. Ils claironnent que « tout est une question d'attitude », connaissent tous les mots à la mode et tout le jargon motivationnel, mais ils n'ont aucune direction. Après un moment, ils finissent par devenir lassants – tout comme les ballons.

Lorsque mon fils Tyler a obtenu son diplôme de l'école militaire, lui et ses camarades ont fait une série d'exercices ponctués de toutes sortes de cris. À un moment donné, un des sergents a crié : « Êtes-vous motivés ? » À l'unisson, les soldats lui ont répondu : « Motivés, motivés, et comment que nous sommes motivés ! » Tyler m'a dit plus tard qu'ils proféraient cette formule au début de chaque tâche ou mission. Hurler à quel point on est motivé quand on sait exactement ce qu'on a à faire a du sens. Mais c'est stupide de clamer sa motivation sans avoir aucune espèce d'idée de ce qu'on veut accomplir. Pour être motivé, il faut un plan, une direction.

Vous devez vous donner une direction. Elle prendra la forme d'un plan, d'un rêve, d'un désir, d'une photo ou d'autre chose. Nul besoin de remplir des pages et des pages. Des directives organisées sur lesquelles vous vous concentrerez suffiront.

Autres mythes en matière de motivation

Les mythes de la bonne attitude, de la motivation et du bien-être peuvent à eux seuls vous empêcher d'atteindre votre but. Mais il y en a d'autres qui sont tout aussi néfastes. En voici quelques-uns.

VOUS POUVEZ ÊTRE TOUT CE QUE VOUS VOULEZ

Faux. Ce n'est pas tout le monde qui peut être mannequin, joueur de basket-ball professionnel ou vedette de cinéma. Oubliez la carrière de mannequin si vous êtes petit, gros et laid. Et pour devenir athlète professionnel ou acteur, il faut des aptitudes particulières, quoique, à mon avis, de nombreuses vedettes de cinéma soient totalement dépourvues de talent.

Vous pouvez devenir tout ce que votre potentiel et votre talent vous permettent d'accomplir, à condition que vous y mettiez le temps et les efforts nécessaires. Voilà la vérité, la stricte vérité.

VOUS POUVEZ FAIRE TOUT CE QUE VOUS VOULEZ

Faux. N'entretenez pas cette illusion. Vous pouvez faire tout ce que votre talent vous permet de faire. Et vous en avez plus que vous pensez.

VOUS POUVEZ AVOIR TOUT CE QUE VOUS VOULEZ

Si c'était vrai, je connaîtrais intimement Salma Hayek. En réalité, vous pouvez avoir tout ce que vous méritez et tout ce vers quoi vous tendez en utilisant vos compétences, vos paroles et vos pensées.

Le problème avec ces trois mythes est le mot *vouloir*. On n'obtient pas ce qu'on veut, on obtient les résultats de ses actions.

VOUS DEVENEZ CE À QUOI VOUS PENSEZ

Faux, archifaux! Si c'était le cas, la plupart des adolescents se transformeraient en filles. Et dans le miroir, je verrais Heidi Klum plutôt que cet homme d'âge moyen, chauve, avec des boucles d'oreille et une barbichette.

En réalité, vous attirez ce à quoi vous consacrez votre énergie et portez attention. Rappelez-vous que vos pensées, vos paroles et vos actions façonnent votre existence. C'est ce trio qui provoque les choses.

GRÂCE À VOTRE ATTITUDE POSITIVE, TOUT IRA BIEN DANS VOTRE VIE

Faux. Ce n'est pas parce que vous avez une bonne attitude que les tuiles ne vous tomberont pas sur la tête. Vous aurez des hauts et des bas. Vous aurez des accidents de voiture, vous serez malade, votre toit coulera, vous perdrez des amis. C'est la vie. Nous y goûtons tous, peu importe notre attitude. En revanche, une attitude positive aide à composer avec les événements. C'est ce qui compte vraiment.

SOYEZ VOUS-MÊME

Quel mauvais conseil! Vous n'avez certainement pas intérêt à rester vous-même si vous êtes un crétin. Essayez plutôt de devenir quelqu'un d'autre.

VOUS ÊTES PARFAIT AINSI

Si vous avez acheté ce livre, vous n'êtes certainement pas de cet avis. Nous pourrions débattre de cette question pendant des heures. Je crois que d'un point de vue spirituel, vous êtes parfait. Dieu vous aime et vous accepte tel que vous êtes. J'aime cette pensée, je la trouve réconfortante. Et vous aussi sans doute.

Mais sur un plan pratique, vous êtes loin d'être parfait. Pour devenir le genre de personne que les autres arriveront à tolérer, vous avez probablement beaucoup de choses à changer.

Contrairement à Dieu, le reste de la planète veut que vous soyez gentil, raisonnable et aimable. Sinon, personne ne vous embauchera, n'achètera les choses que vous vendez, ne se mariera avec vous ni ne sera votre ami. Vous vieillirez seul et sans le sou. Alors, réveillez-vous et changez.

IL N'Y A PAS DE PROBLÈME, SEULEMENT DES OCCASIONS

Les motivateurs l'aiment bien, celle-là. Sur quelle planète vivent-ils donc ? Quand j'ai des ennuis, ce sont de vrais ennuis, pas des occasions. Et je dois les traiter comme tels. Ceux qui prétendent que les problèmes n'existent pas sont les mêmes qui affirment qu'«à quelque chose malheur est bon». D'où je viens, ce n'est pas comme ça que ça se passe. Parfois, le malheur n'est que du malheur, et il n'y a rien de bon là-dedans !

Les motivateurs sont cependant bien intentionnés. Ils essaient de mettre les choses en perspective. Il est vrai qu'on peut tirer de précieuses leçons d'une mauvaise expérience. Mais ça n'empêche pas d'appeler un chat un chat. De plus, c'est insultant de se faire servir un tel cliché quand on est au milieu de la tourmente.

La souffrance existe. C'est une réalité de la vie, et il ne sert à rien de l'enrober.

DONNER DU 110 POUR CENT

Celle-là aussi, les motivateurs la sortent souvent. Il y en a même qui réussiront à vous vendre une petite épinglette qui proclamera « 110 % » et qui prouvera à quel point vous êtes crédule.

C'est impossible de donner 110 pour cent. On ne peut donner que 100 pour cent.

Cent dix pour cent, c'est l'équivalent d'un avion extrêmement plein. Avez-vous déjà entendu un agent de bord vous dire ça ? Non. L'avion est plein, presque plein, mais jamais *trop* plein. S'il y a plus de réservations que de places, un certain nombre de personnes ne partiront pas.

Mais de toute façon, c'est un faux problème, car loin de viser plus de 100 pour cent, la plupart des gens se contentent de fournir 60 pour cent d'efforts. Autrement dit, ils travaillent juste assez pour ne pas se faire congédier. Si vous vous approchez du 100 pour cent, je vous félicite. Vous faites partie d'une minorité.

VOUS POUVEZ AUSSI NE PAS SUIVRE MES CONSEILS

Faites attention aux conseils que vous suivez – même ceux de ce livre. Si ça fonctionne, tant mieux, continuez. Si ça ne fonctionne pas, faites autre chose. Jetez ce livre, achetez-en un autre et tentez quelque chose qui fonctionne *vraiment* pour vous.

Chapitre 6

Le poids des croyances

Ce en quoi vous croyez a une influence déterminante sur vos possessions, votre revenu, votre compte en banque, votre réussite, la qualité de vos relations et votre qualité de vie.

En quoi croyez-vous ? Nous sommes tous animés par un ensemble de croyances et de convictions. Nous possédons tous une liste implicite de choses en quoi nous avons une foi inébranlable. Vous n'avez peut-être jamais pris le temps de vous asseoir et de réfléchir à la vôtre, mais je vous garantis que ça va bientôt changer. Auparavant, laissez-*moi* vous dire en quoi *vous* croyez.

« Attends un peu, Larry ! Tu ne me connais même pas. Comment peux-tu savoir en quoi je crois ? »

Rien de plus facile : je n'ai qu'à regarder votre compte en banque, votre maison, votre voiture, votre tenue, votre allure. Tout ça m'en dit long sur vos croyances et sur ce que vous pensez mériter.

Encore une fois, je vous entends rouspéter. Vous trouvez que je me fie uniquement à votre vie matérielle pour vous juger. C'est vrai. Alors je jetterai aussi un coup d'œil aux relations que vous entretenez avec vos enfants, votre partenaire, vos amis et vos collègues, à ce que vous faites dans vos temps libres et pendant vos vacances, à vos livres (ou à leur absence), aux émissions de télé que vous écoutez, aux films que vous allez voir. En fait, vos croyances se manifestent dans tout ce que vous faites, dites, possédez. Toute votre personne incarne votre système de croyances.

Vos croyances ont une influence déterminante sur tout ce qui vous entoure

Vos croyances sur l'argent, les affaires, la politique déterminent le montant que vous avez en banque, comment vous vous comportez en affaires et pour qui vous votez. Vos convictions sur les femmes et les hommes déterminent la façon dont vous traitez votre conjoint, vos enfants, vos collègues, vos connaissances, vos amis.

Vous portez des vêtements propres et des chaussures cirées, vous donnez et recevez beaucoup d'amour, vous avez beaucoup de biens matériels et vous êtes joyeux. Tout cela me donne une bonne idée de ce que vous pensez de la dignité, de l'amour, du succès, du bonheur.

Vous comprenez maintenant pourquoi un simple coup d'œil à votre personne et à vos possessions m'indique quelles sont vos croyances. Celles-ci laissent des traces dans tous les secteurs de votre vie.

Prenez le temps d'examiner attentivement votre mode de vie. Réfléchissez à votre système de croyances et à son impact sur vos possessions, vos relations, votre succès et votre bonheur. Vous arriverez ainsi à comprendre pourquoi vous menez l'existence que vous menez.

**《 Cessez d'éclipser le soleil, et il y aura beaucoup
moins d'ombre dans votre vie. 》**
– Ralph Waldo Emerson

À ce stade de votre lecture, vous avez sans doute compris que j'ai un faible pour les listes. Je vous demanderai donc de dresser la liste de vos croyances. Mais avant tout, examinez la mienne. Vous saisirez mieux quel genre de personne je suis.

Une fois que vous aurez énuméré vos croyances, vous serez mieux outillé pour comprendre ce que vous avez obtenu de la vie. Je vous invite en effet à faire le lien entre vos croyances et vos résultats. Si certains résultats vous rendent malheureux, changez les croyances correspondantes.

LES CROYANCES DE LARRY

⊙ La vie est simple.

⊙ On est responsable de sa vie, du meilleur comme du pire.

⊙ Dans la vie, on doit être motivé par l'amour, le service et la générosité.

⊙ On fait facilement de l'argent quand on est au service des autres.

⊙ Le service, c'est une forme de travail.

⊙ Il est possible d'être en santé et d'éviter la maladie.

⊙ On mène l'existence qu'on choisit.

⊙ On peut changer.

⊙ Les mots sont puissants et déterminants.

⊙ Les pensées sont créatives et déterminantes.

⊙ Il faut faire confiance à ses sentiments.

⊙ On ruine ses chances de réussite en se plaignant et en refusant de prendre ses responsabilités.

⊙ Les résultats ne mentent pas.

- La plupart des gens sont paresseux et doivent se secouer pour faire quelque chose.

- Toute bonne chose est récompensée.

- La culpabilité ne sert à rien.

- Se faire du souci est une perte de temps et d'énergie.

- La satisfaction ne vient qu'à ceux qui ne cherchent pas l'approbation d'autrui.

- Dans la vie, les choses s'améliorent uniquement quand on s'améliore soi-même.

- Les enfants finissent par grandir.

- Dieu incarne le bien et l'amour.

- En apprenant à aimer son travail, on finit par y exceller et par être récompensé.

- C'est merveilleux de posséder beaucoup de choses, mais il faut plus que des biens matériels pour être heureux.

- Le plaisir devrait être un mode de vie, et non quelque chose qui arrive de temps en temps.

- Dans la vie, tout est source d'enseignement. En refusant de tirer profit des leçons, on ne fait que persister dans l'erreur.

- À long terme, rien de tout cela n'est vraiment important ; il n'y a donc pas lieu de s'énerver.

MES PROPRES CROYANCES

_____

_____

_____

_____

_____

_____

_____

_____

_____

_____

_____

_____

_____

_____

Chapitre 7

Le facteur plaisir

**« À l'exception de l'être humain,
toutes les espèces savent
que la grande affaire de la vie,
c'est d'avoir du plaisir. »**

– Samuel Butler

Je parierais que dans la vie vous n'avez pas beaucoup de plaisir, du moins pas autant que vous devriez ou pourriez en avoir. Comme la plupart des gens, vous n'aimez probablement pas votre travail, mais vous le supportez parce que vous êtes convaincu que vous n'avez pas le choix. Vous trouvez sans doute que vos amis ne sont pas si amusants que ça, mais vous les tolérez parce que ça vous semble trop compliqué d'en trouver de nouveaux. Il se peut même que vous n'aimiez pas vraiment votre conjoint. Peut-être que vous n'aimez pas votre maison, votre voiture, vos vêtements. Et il y a de très fortes chances que vous n'aimiez pas votre allure.

Si une seule de ces suppositions s'avère juste, lisez bien ceci : je veux que vous changiez votre conception du plaisir et que vous vous mettiez à apprécier le moindre aspect de votre vie. Vous verrez, vous aurez plus d'argent, de meilleures relations et plus de succès.

Arrêtez de faire ce que vous n'aimez pas

Pourquoi faites-vous des choses que vous n'aimez pas? Rien ni personne ne vous y oblige. Est-ce parce que vous avez des responsabilités? Sachez que vous assumerez mieux vos responsabilités si vous vous amusez. Du reste, votre principale responsabilité est votre propre bonheur! Bref, vous n'avez pas à faire des choses qui ne vous plaisent pas. Vraiment.

《 Les gens causent de plus grands dégâts autour d'eux en menant des vies silencieusement désespérées (autrement dit en faisant ce qu'ils "ont" à faire) qu'en faisant ce qu'ils ont envie de faire. 》

– Neale Donald Walsch,
Conversations avec Dieu, Tome 3

MA PHILOSOPHIE DU PLAISIR ET DE LA JOIE

《 Dieu me respecte quand je travaille, mais il m'aime quand je chante. 》

– Rabindranath Tagore

Mon existence est axée sur le plaisir. Certains d'entre vous penseront que c'est un principe de vie égoïste et bassement hédoniste. C'est faux. Je tire mes plus grandes joies à rendre service à autrui.

Lisez bien les lignes qui suivent. Lorsque vous aimez ce que vous faites, vous finissez par y exceller. Et lorsque vous excellez dans une fonction, le service que vous rendez aux autres est supérieur à celui que vous leur rendriez si vous vous contentiez d'être bon. Et lorsque vous servez bien les autres, ils vous récompensent à l'avenant.

Autrement dit, votre succès et le montant que vous avez dans votre compte en banque dépendent de la qualité du service que vous fournissez à autrui. Avez-vous beaucoup d'argent en banque ? Non ? Tirez vos propres conclusions.

> **《 Ayez beaucoup de plaisir
> et vous en aurez beaucoup
> à donner à autrui. 》**
>
> – Neale Donald Walsch,
> *Conversations avec Dieu*, Tome 2

POURQUOI LE PLAISIR EST SI IMPORTANT

Sans plaisir, la frustration et l'insatisfaction prennent toute la place. Si vous êtes frustré et insatisfait, vous serez pénible. Petit à petit, votre famille, vos collègues, vos clients et votre patron vous trouveront insupportable. Vous vous ferez mettre à la porte, vous perdrez vos amis, et votre conjoint vous plaquera en vous dépouillant de vos biens. Vous finirez dans la rue, tout seul.

J'exagère à peine. En fait, je ne fais que représenter en accéléré ce qui risque de vous arriver si vous ne vous amusez pas dans la vie et si vous n'aimez pas ce que vous faites.

Votre emploi. Vous n'aimez pas votre emploi. Alors quittez-le.

« Mais, mais, mais… »

Il n'y a pas de « mais » qui tienne. Si vous n'aimez pas votre travail, vous n'êtes sans doute pas productif et ne devez être guère apprécié, ce qui en retour doit vous rendre malheureux. À la maison, vous devez être amer, négatif et geignard, ce qui est injuste envers votre famille.

Soit vous quittez votre emploi, soit vous apprenez à l'apprécier. Je vous conseille d'essayer la deuxième option d'abord. Il y a sûrement des aspects qui vous plaisent dans votre travail actuel. Concentrez-vous sur eux. Ils finiront par prendre plus de place. Peut-être découvrirez-vous alors qu'après tout, vous avez un assez bon boulot. Sachez que peu importe le travail que vous effectuerez, il aura toujours des côtés moins agréables.

《 Vous avez toutes les chances de gagner votre vie en faisant ce que vous aimez. Mais vous n'êtes peut-être pas décidé à le faire. 》

– Dr Wayne Dyer

Si vous conservez un travail que vous détestez par égard pour quelqu'un d'autre, vous finirez par détester aussi cette personne en vous disant qu'elle vous empêche de faire ce que vous aimez.

Un jour, j'ai été invité à donner une conférence aux membres de la haute direction d'une société : le président et ses dix vice-présidents (mon plus petit auditoire). J'en étais au thème du plaisir au travail. « Si votre travail ne vous amuse plus, quittez-le », ai-je déclaré avant de prendre une gorgée d'eau. J'allais reprendre mon exposé quand un des vice-présidents m'a fait signe pour m'interrompre : « Eh bien, Larry, a-t-il dit en se levant, je vais le quitter. » Et il est sorti de la salle. Son départ a eu l'effet d'une douche froide sur les autres participants ! Je leur ai suggéré de prendre une pause. Pouvez-vous imaginer ce que cet homme avait enduré pour quitter ainsi son emploi ? Je trouve ça très triste. Il m'a écrit plus tard pour me dire que ma phrase lui avait donné la permission de mettre un terme à quelque chose qu'il en était venu à haïr. Et il a pris les grands moyens.

« Si l'on fait seulement ce qu'on aime
et qu'on s'exprime librement,
on sert les autres conformément
à ses propres aspirations.
Il ne reste plus qu'à être réceptif. **»**

– Arnold Patent

Vos amis. Avez-vous du plaisir avec vos amis? Non. Alors je ne m'étendrai pas sur le sujet: laissez-les tomber. Sérieusement. Pourquoi perdre votre temps avec eux s'ils vous ennuient? Nous sommes environ six milliards d'êtres humains sur cette planète; vous en trouverez bien quelques-uns dont vous apprécierez la compagnie. Je me fais un devoir de ne pas fréquenter les gens qui m'embêtent. Ça ne plaît pas toujours à tout le monde, y compris à ma femme, mais ça fait mon affaire. Je refuse de compromettre mon bien-être pour des gens que je n'aime pas. Égoïste? Et comment! Je vous encourage fortement à suivre mon exemple.

Votre conjoint. Avez-vous du plaisir avec votre conjoint, votre partenaire? Avez-vous au moins essayé? Honnêtement? Oui? Et ça ne marche toujours pas? Partez. La vie est trop courte pour la partager avec quelqu'un pour qui votre cœur ne bat plus.

Vous avez des sueurs froides à l'idée de divorcer? Eh bien, sachez qu'il vaut mieux divorcer qu'être malheureux. Et ne me dites pas que vous restez pour le bien des enfants. La dernière chose dont ils ont besoin est d'un modèle de relation désastreuse.

Si vous n'êtes pas marié, la situation est encore plus simple. Vous n'avez qu'à déménager.

Vous trouvez que je manque de délicatesse ? Évidemment, on est loin des livres cucul qui décortiquent les relations entre hommes et femmes en faisant référence à certaines planètes... Je vous secoue parce que je sais que parfois les gens sont littéralement enlisés dans de mauvaises relations. Si c'est votre cas, sortez-en. Ne cherchez pas à savoir à qui la faute. Croyez-moi, vous êtes tous les deux responsables. Les reproches sont inutiles.

Faites preuve d'honnêteté l'un envers l'autre. Parlez ouvertement de vos sentiments. Obtenez l'aide d'un conseiller s'il le faut. Séparez-vous temporairement pour réfléchir. La distance calme les esprits et procure une perspective nouvelle. Si vous n'êtes toujours pas heureux ensemble après avoir fait cette démarche, séparez-vous pour de bon.

Personne ne profite d'une mauvaise relation.

> **《 Prendre consciemment le parti du plaisir est très important, car nous sommes nombreux à être convaincus qu'il est fastidieux, pénible et difficile d'entretenir des relations. 》**
> **– Gay Hendricks**

Vos possessions. Vous n'aimez pas votre maison ? Alors déménagez. Si vous ne pouvez pas vous le permettre, refaites la peinture ou encore déplacez les meubles.

Vous en avez assez de votre voiture ? Vendez-la, échangez-la, prenez l'autobus ou faites du vélo !

Pour renouveler votre garde-robe à prix modique, faites les friperies. Même les vedettes y vont.

Faites les ventes-débarras pour acheter de nouveaux meubles sans vous ruiner.

Vous n'aimez pas votre ville? Allez vous installer ailleurs. Vous trouvez sans doute que c'est une solution drastique. Effectivement, ce n'est pas facile. Je suis passé par là. Je vivais à Tulsa, en Oklahoma. C'est là où je suis né. Après avoir vécu à différents endroits, j'y étais revenu pour des raisons familiales. À un moment donné ou à un autre, on fait tous l'erreur de vivre pour les autres, et on devient rapidement malheureux et amer.

Ce n'était pas exactement mon cas, mais je n'aimais pas vivre à Tulsa. Surtout à cause du climat. Il était idéal quatre mois par année. Mais le reste du temps, je trouvais toujours à redire : trop humide, trop froid, trop chaud. J'avais quarante-cinq ans à l'époque, et j'estimais qu'il me restait une trentaine d'années à vivre si tout allait bien. En faisant le calcul, j'ai constaté que j'en avais encore pour 20 ans à râler. C'était beaucoup trop. Je me suis donc installé en Arizona où il fait bon vivre 10 mois par année. Les deux autres mois, je reste à l'intérieur, car il fait tellement chaud que les chiens explosent dans la rue.

Évidemment, cette décision n'a pas été facile. J'ai quitté ma famille, mon entreprise, mes employés et tout ce qui m'était familier. Mais ça valait le coup. Il est très agréable de se lever le matin et de constater qu'on adore l'endroit où l'on vit.

Votre apparence. Si vous ne vous aimez pas, il y a moyen de remédier à la situation.

Coiffez-vous différemment.
Changez la couleur de vos cheveux.
Perdez du poids.
Prenez du poids (conseil pertinent pour environ 0,001 % de la population).

Optez pour la chirurgie plastique si vous le désirez. C'est votre corps, et c'est à vous de décider ce dont vous avez besoin pour mieux vous sentir dans votre peau.

Et maintenant, lisez-moi bien les gars. Faites tout ce qu'il faut pour améliorer votre allure mais, de grâce, n'achetez pas de moumoute. Peu importe ce que le vendeur vous dira, vous aurez l'air ridicule, croyez-moi. On se moquera de vous. Ouvertement ou dans votre dos.

APPRÉCIEZ LES CHOSES TELLES QU'ELLES SONT

Je sais que j'ai l'air de me contredire, mais apprenez à aimer les choses telles qu'elles sont.

«Quoi? Comment peux-tu dire ça, Larry? D'abord, tu me dis de changer de vie si je n'aime pas celle que je mène. Puis, une fois que je suis décidé, tu me dis qu'il faut que j'apprenne à apprécier les choses telles qu'elles sont! Décide-toi!»

Comprenez-moi bien. Je ne vous encourage pas à faire de l'immobilisme. Je dis simplement que vous avez intérêt à apprécier les choses *en cours* de changement.

Ne devenez pas obnubilé par l'idée de changer au point de ne plus apprécier le moment présent. Concentrez-vous sur le processus. Chacune des étapes de votre évolution vaut la peine d'être vécue.

Pendant votre transformation, vous traverserez sans doute des passes difficiles. Mais elles auront leur raison d'être. Il y a plusieurs années, j'ai fait faillite et, pendant un certain temps, j'ai vécu dans la dèche. Perdre mes biens m'a fait énormément de peine, beaucoup plus que perdre mon argent. Croyez-moi, ç'a été une expérience désagréable et humiliante. C'était pourtant celle que je devais vivre à ce moment-là. Difficile à avaler, mais j'avais besoin de cette leçon. Elle m'a permis de grandir, d'entreprendre une carrière de conférencier, d'écrire ce livre et de réussir dans la vie. Rétrospectivement, j'ai appris à apprécier cette épreuve.

Chaque étape de votre évolution sera pertinente. Vous en aurez besoin pour avancer. Peu importe ce qui vous arrivera, ça vous arrivera pour une raison, pour vous enseigner une leçon dont vous aurez besoin pour passer à l'étape suivante. Au moment où vous vivrez ces expériences, dites-vous que vous y survivrez et en sortirez grandi. Vous trouverez peut-être que c'est une mince consolation, mais vous devrez vous en contenter, car c'est tout ce que vous aurez.

Par ailleurs, n'oubliez pas que tout finit par passer. Rien ne *dure*. Et ne dites jamais de stupidités du genre « C'est pire que tout ! » Croyez-moi, une situation peut *toujours* empirer. Peu importe vos malheurs, appréciez-les… Ça pourrait être pire !

« Vivez le moment présent, sinon vous raterez votre vie. »

– Bouddha

AFFINEZ VOTRE SENSIBILITÉ

Il arrive que les gens se mettent à avoir une existence plus enrichissante non pas parce que leur situation a changé mais bien parce qu'ils deviennent plus conscients de ce qui les entoure. Quand avez-vous vraiment apprécié les choses simples de la vie ? Si vous voulez vivre plus pleinement, commencez par apprendre à aimer ce que vous tenez pour acquis, ce que vous faites inconsciemment chaque jour.

La vie est courte et elle raccourcit à mesure que vous avancez. Cessez d'être aussi vertueux et cultivez l'hédonisme. Ne vous préoccupez pas de l'opinion des autres. De toute façon, la plupart se fichent de ce que vous faites. Sinon, qu'ils aillent au diable! D'ailleurs, qui sont-ils pour vous juger? C'est de *votre* existence qu'il s'agit, pas de la leur. Alors dépêchez-vous de profiter de la vie, il ne vous reste pas beaucoup de temps.

**《 Lorsqu'on aspire à la richesse,
à l'amour ou à une meilleure situation,
on aspire en fait au bonheur.
Si on cherchait d'abord à être heureux,
tout le reste s'ensuivrait. 》**

– Deepak Chopra

**《 On est sur Terre pour glander.
Que personne ne me dise le contraire. 》**

– Kurt Vonnegut

**《 La vie est trop courte et trop longue
pour la vivre de façon misérable.
Elle est aussi très vaste.
Il est donc grand temps
qu'on en profite davantage. 》**

– Jill Conner Browne,
The Sweet Potato Queens' Book of Love

Chapitre 8

Être ou ne pas être... en santé

Vous n'êtes pas obligé d'être malade. Je vous recommande fortement d'opter pour la santé.

« Voyons, Larry, on ne choisit pas d'être malade ! »

Mais si. Jusqu'à un certain point, vous choisissez tout ce qui vous arrive dans la vie.

Lorsque vous êtes négatif et en colère, votre corps réagit en conséquence. Vous vous mettez à avoir toutes sortes de maux : insomnie, nervosité, ulcères d'estomac, migraine, hypertension, vieillissement précoce, problèmes cardiaques, faiblesse du système immunitaire et même cancer, selon certains. Je n'ai pas les connaissances nécessaires pour prouver tout cela mais, chose certaine, les problèmes affectifs et psychologiques se manifestent toujours physiquement. Je le vis chaque jour. Lorsque je nage dans le bonheur, je me sens mieux, je dors mieux, j'ai plus d'énergie. Dans l'ensemble, mon corps fonctionne mieux.

Est-ce une vision réductrice de la maladie et de la santé ? Peut-être. Mais j'aime schématiser. Ça aide à comprendre.

Il se peut que vous ne partagiez pas mon point de vue. Peu importe ; faites quand même ce que je vous dis. Pour améliorer votre état de santé, améliorez les différents aspects de votre vie. Si ça fonctionne, tant mieux ; si ça ne fonctionne pas, vous n'aurez rien perdu.

Cela dit, vous pouvez aussi entreprendre des actions plus spécifiques. Bien que je ne sois pas un expert en matière de santé et de conditionnement physique, j'ai fait quelques recherches et je sais ce que disent les véritables spécialistes. Sauf exception (et elles sont rares), une saine alimentation et de l'exercice réussiront à faire des merveilles pour vous. Mais vous le savez déjà, n'est-ce pas ? Comme la plupart des gens. Et pourtant, ils ne respirent pas tous la santé. Curieux qu'ils sachent exactement comment s'y prendre pour être riches, avoir du succès et être en santé et qu'ils ne le fassent pas. Pourquoi donc ? Par stupidité, sans doute.

« Alors, Larry, tu penses que les gens sont stupides ? »

Les gens sont stupides

J'avais prévu réserver mes réflexions sur la stupidité pour une autre section mais, finalement, elles me semblent tout à fait adéquates ici. En effet, c'est probablement en matière de santé que nous manquons le plus de discernement.

Alors, pour répondre à votre question, non, je ne pense pas que les gens sont stupides. Je *sais* qu'ils le sont.

Mais d'abord, définissons la stupidité. Pour moi, le comble de la stupidité, de l'imbécillité, de l'ineptie, c'est de savoir ce qu'il faut faire et ne pas agir en conséquence. J'excuse l'ignorance (du moins temporairement), mais pas la mauvaise foi.

Maintenant, je vais vous démontrer en quoi les gens sont stupides.

PSEUDO-FAIT NUMÉRO 1 SUR LA STUPIDITÉ

Les gens consomment des aliments qui sont mauvais pour leur santé, qui leur font prendre du poids, bloquent leurs artères, augmentent leur taux de cholestérol, etc. Le médecin a beau leur dire qu'ils souffrent de divers problèmes et leur faire des recommandations précises, ils persistent dans des habitudes qui finiront par les tuer. Trouvez-vous ça intelligent? J'espère que non.

Certaines religions considèrent que le suicide est un péché. Pourquoi le fait de se tirer une balle dans la tête est-il un péché alors que s'empiffrer et fumer au point de se tuer ne l'est pas? Le résultat est le même, pourtant. Ce ne serait donc pas de s'enlever la vie qui serait un péché, mais bien de le faire rapidement plutôt qu'à petit feu.

PSEUDO-FAIT NUMÉRO 2 SUR LA STUPIDITÉ

Parlant de feu… Les gens mettent des petits tubes pleins de carcinogènes et d'autres toxines dans leur bouche, les allument et aspirent la fumée. Assez crétin merci. Puis le médecin leur annonce qu'ils souffrent de cancer, d'emphysème ou d'autres problèmes fatals, mais ils continuent de fumer, et ce, même s'ils savent qu'à ce stade leur seul moyen de s'en sortir est d'arrêter. Encore plus crétin.

Naturellement, il est bien plus simple de poursuivre les fabricants de cigarettes. Pourtant, ces compagnies n'obligent personne à fumer. C'est même écrit en toutes lettres sur les paquets de cigarettes que le tabac provoque le cancer. Vous avez payé ces cigarettes, vous les avez mises dans votre bouche et vous les avez allumées de votre plein gré et en toute connaissance de cause. Non pas une fois, mais des milliers de fois. Vous saviez que ça allait vous tuer, mais vous avez continué, et maintenant vous vous plaignez et vous voulez rejeter la responsabilité sur quelqu'un d'autre. Assumez vos choix. Vivez ou mourez avec eux, mais n'oubliez pas que ce sont *vos choix*.

PSEUDO-FAIT NUMÉRO 3 SUR LA STUPIDITÉ

L'alcool fausse le jugement et détraque les réflexes. C'est prouvé. On n'a donc pas intérêt à conduire quand on a trop bu. Pourtant, il y a encore des gens qui prennent le volant en état d'ébriété. Parfois, ils se tuent. Mais, malheureusement, ils tuent aussi les autres – plus souvent même. Pourtant, ils savaient qu'ils ne devaient pas prendre leur voiture. Encore une fois, je doute que vous trouviez ça brillant.

Saviez-vous que les êtres humains sont les seules créatures sur Terre qui s'autodétruisent consciemment? Chaque jour, ils se tuent en mangeant, en buvant, en fumant et en se comportant comme ils le font. Ils persistent et signent. Que pensez-vous de ça?

Pire, les êtres humains sont en train de bousiller leur planète. Le genre humain est la seule espèce à ravager son environnement comme elle le fait: de plein gré, en toute connaissance de cause et en riant. Bref, nous sommes continuellement en train de faire des choses nocives au plan émotif, spirituel, financier, environnemental, physique et psychologique. Qu'est-ce que c'est si ce n'est pas stupide?

**« Seules deux choses sont infinies :
l'Univers et la stupidité des êtres humains.
Je ne suis pas sûr de la première. »**
– Albert Einstein

« Larry, tu ne fais jamais rien de stupide, toi? »

Mais bien sûr ! Je n'agis pas toujours pour mon plus grand bien. À l'occasion, je fais preuve de stupidité. J'en suis pleinement conscient. Mais je m'arrange toujours pour ne rien faire qui nuise à ma santé, à mon succès, à ma prospérité et surtout à ma famille. À mes yeux, tout cela est plus important que le reste.

Vous auriez intérêt à faire de même. Mais surtout, vous devriez cesser de jouer avec votre santé.

Croyez en la santé

Croyez en la santé. Ou, plus précisément, cessez de croire que vous devez être en mauvaise santé. Peu importe votre condition actuelle, vous êtes capable de l'améliorer en changeant votre état d'esprit.

Ne prêtez plus foi aux publicités qui annoncent l'arrivée de la saison de la grippe. C'est vrai qu'à un certain moment de l'année, les gens sont plus susceptibles de s'enrhumer, mais *vous* n'y êtes pas obligé. L'idée selon laquelle vous risquez d'attraper le rhume juste à cause d'une baisse de température est un mythe véhiculé par les fabricants de médicaments. C'est du marketing. Cessez d'y croire et vous n'aurez plus le rhume.

Pensée magique ? Presque. Dans plusieurs cas, vous pouvez influencer votre santé par la pensée.

Ça fait longtemps que je n'ai pas eu le rhume en hiver. Je n'en veux pas, je n'en ai pas besoin, je refuse d'en avoir et je ne me vois pas comme une personne qui doit avoir le rhume. J'ai trop à faire.

Je sais, ç'a l'air naïf. Mais je vous assure que si ça fonctionne pour moi, ça peut fonctionner pour vous. Il suffit d'y croire.

MAMAN ET LA MIGRAINE

Si vous avez déjà eu la migraine, vous savez à quel point ça peut être accablant. Ma mère en a souffert pendant 50 ans. Lorsqu'une crise se pointait, elle devait rester allongée plusieurs jours d'affilée. Puis, un jour, on a annoncé à mon père qu'il avait le cancer du côlon. Ma mère a compris qu'elle devrait lui prodiguer des soins constants et qu'elle serait trop occupée pour avoir la migraine. Elle a littéralement abandonné cette maladie. Et elle n'en a plus jamais souffert. Comme ça, du jour au lendemain. Je vous jure que c'est vrai.

La migraine étant une maladie héréditaire, ma sœur et moi en avons aussi souffert. Ma mère m'a raconté son expérience longtemps après le décès de mon père. Au début, je n'arrivais pas à y croire (à cette époque, je n'avais pas encore adopté les principes qui orientent maintenant ma vie). J'ai quand même décidé de suivre son exemple. Et vous savez quoi ? Je n'ai plus eu de migraine. Aussi simple que ça. J'ai fait un choix, j'ai créé une attente et ça fonctionné.

Par ces exemples, je veux simplement vous démontrer que la pensée influence l'expérience. Ça fonctionne dans tous les domaines – j'en traiterai plus loin dans ce livre –, mais s'il existe un secteur où vous avez intérêt à y croire, c'est celui de la santé.

Alors changez de système de croyances, et votre état de santé s'améliorera.

L'EXERCICE

Si vous êtes comme la plupart des gens, vous aimeriez mieux mourir que de faire de l'exercice. C'est d'ailleurs ce que vous êtes en train de faire. Pourtant, ce n'est pas aussi pénible que vous le croyez. Vous n'êtes pas obligé d'aller au gym pour vous gonfler les muscles comme Arnold.

Pour faire de l'exercice de façon saine et efficace, il vous suffit de faire des activités aérobiques pendant 20 minutes au moins trois fois par semaine. Un exercice aérobique en est un qui augmente votre rythme cardiaque. Vous avez le choix : vélo, marche, jogging, course ou même sexe sauvage (mais pendant 20 minutes, pas moins !).

Je ne suis pas expert dans ce domaine. Alors, pour obtenir des conseils judicieux, embauchez un entraîneur personnel ou du moins procurez-vous quelques bons livres et DVD – après en avoir d'abord parlé à votre svelte médecin.

LES MÉDECINS ET LA SANTÉ

Trouvez-vous un médecin svelte qui ne fume pas. Ai-je vraiment besoin d'expliquer pourquoi ? Allons, pensez-y ! Feriez-vous confiance à un médecin qui fait de l'embonpoint, qui fume et qui ne prend pas soin de lui ? Ça n'a pas de sens !

Trouvez-vous un médecin qui vous recommandera de mieux manger et de faire de l'exercice, et qui vous proposera des remèdes naturels *avant* de vous prescrire des médicaments. Je parierais n'importe quoi que ce sont vos mauvaises habitudes alimentaires et votre sédentarité qui vous ont rendu malade. Alors attaquez d'abord sur ce front.

Vous n'êtes pas partisan de ce genre de médecine douce ? Il est intéressant de constater que certains préféreront se faire charcuter que d'abandonner leurs comportements malsains. Encore une fois, ça en dit long sur la stupidité.

HARO SUR LES GROS

J'admets que j'ai un préjugé contre les gros. Les membres des communautés ethniques et les homosexuels me laissent indifférents, mais pas les imbéciles, les paresseux ou les gros. D'ailleurs, l'embonpoint est souvent le résultat d'une combinaison de paresse et de stupidité. On ne choisit pas son ethnie ou son orientation sexuelle, mais on choisit d'être gros.

Je viens d'une grosse famille – pas au sens de nombreuse –, et la génétique n'a rien à voir là-dedans. Tous mes parents font de l'embonpoint. Parce qu'ils ont de mauvaises habitudes alimentaires et sont sédentaires, un point c'est tout. Je les comprends, car j'adore la nourriture riche et grasse. Je la trouve tout simplement plus savoureuse. S'il n'en tenait qu'à moi, il n'y aurait que deux groupes alimentaires : la sauce et le chocolat.

Mais je ne fais pas d'embonpoint et je n'engraisserai pas, par respect envers moi-même et parce que j'ai crié à tout vent que jamais je ne deviendrais gros. Je perdrais toute crédibilité si je n'agissais pas conformément aux conseils que je prodigue. Vous devriez essayer vous aussi. Parlez abondamment de vos projets ; à elle seule, la crainte de devoir avouer un échec vous fera réussir.

Si j'ai un tel préjugé à l'égard des gros, c'est que, compte tenu de mes goûts, je pourrais aisément en être un. À quelques reprises dans ma vie, j'ai été à deux doigts de le devenir, mais je me suis démené comme un diable pour l'éviter. Lorsqu'on réussit à force de discipline et d'abnégation, on développe une très grande intolérance envers les paresseux. Ne croyez pas que c'est facile pour moi : je hais l'exercice et la bouffe santé. Mais je détesterais encore plus être gros.

Actuellement, il semble y avoir beaucoup de controverse sur l'obésité, à savoir si c'est une maladie ou un état. J'ai regardé plusieurs reportages sur la question. À mon avis, cette alternative n'est pas pertinente.

L'obésité n'est ni un état ni une maladie, mais un choix. Vous avez le choix de manger ce que vous mangez. Je suis certain que vous n'avez jamais avalé quoi que ce soit sans vous en rendre compte.

LA PERTE DE POIDS À LA MANIÈRE LARRY

Pour perdre du poids, surtout ne vous mettez pas à la diète. Quels que soient les régimes, ils ne sont pas efficaces à long terme. De nombreuses études l'ont prouvé.

La solution est simple : mangez mieux et faites plus d'exercice. Un point c'est tout. Vous auriez intérêt à consulter votre svelte médecin avant de modifier ainsi vos habitudes, mais laissez-moi quand même vous donner quelques conseils en la matière.

⊙ Cessez de fréquenter régulièrement les restaurants de *fast food*. Les mets qu'on y sert sont beaucoup trop gras. Les restaurateurs sont obligés de noyer leur préparation dans la graisse pour faire oublier qu'il ne s'agit pas de vraie nourriture. C'est pour cette raison que ça bon goût. Vous pouvez manger du *fast food* à l'occasion, mais pas tous les jours. Et ne me dites pas que vous allez dans ce genre d'endroit parce que c'est rapide et que ça ne coûte pas cher. C'est rarement le cas.

⊙ Laissez les places de stationnement près des centres commerciaux aux gens âgés et aux mauviettes. Vous avez intérêt à marcher. Garez votre voiture aussi loin que possible, mais quand même pas de l'autre côté d'un grand boulevard : si vous êtes gros, je vous vois mal le traverser au pas de course.

⊙ Emmenez votre chien, votre enfant ou votre conjoint faire une promenade à pied, même si ce n'est que pour quelques minutes. Marcher favorise la conversation – même avec votre chien. Ça fera du bien à tout le monde, tant sur le plan affectif que sur le plan physique.

⊙ Ne vous pesez pas tous les jours, car vous serez vite découragé. Vous n'avez pas pris tout votre poids en 24 heures, n'est-ce pas ? Vous ne pouvez donc pas vous attendre à le perdre aussi rapidement. Des pesées hebdomadaires suffiront pour suivre vos progrès. De plus, pour garder le moral, ne vous fixez pas des objectifs irréalistes.

⊙ Mangez de plus petites portions. C'est absolument essentiel. Nous, Américains, aimons nous empiffrer. Les étrangers sont toujours surpris de la grosseur de nos portions. C'est notre marque de commerce. Et on dirait que moins nous payons, plus nous en avons dans notre assiette. Fréquentez les restaurants qui vantent le goût plutôt que la quantité. Et, de toute façon, mangez moins.

⊙ Lorsque vous perdez un peu de poids, investissez dans un vêtement cher qui vous donnera fière allure. Comme il vous en coûterait de ne plus entrer dans ce vêtement, vous veillerez à ne pas reprendre le poids perdu.

⊙ À peu près à la même période, faites retoucher les vêtements auxquels vous tenez (jetez les autres). Vous serez tellement fier d'aller chez la couturière pour les faire rapetisser plutôt que pour les faire agrandir, comme vous en aviez l'habitude.

⊙ Vantez vos exploits haut et fort, et pour éviter que ça se retourne contre vous, ne reprenez pas le poids perdu.

⊙ Ne pensez pas comme une grosse personne. Mais ne pensez pas plus comme une personne mince. En fait, ne pensez pas trop. Ne soyez pas obsédé par votre perte de poids ; ça pourrait vous angoisser, vous affamer, vous culpabiliser. Mangez moins et faites plus d'exercice ; la nature s'occupera du reste.

⊙ Ne vous inquiétez pas trop si vous faites des écarts. Si vous avez absolument envie d'une pizza, mangez-en et appréciez-la. Vous compenserez le lendemain ou le surlendemain. Veillez simplement à ne pas vous gâter trop souvent de cette façon.

⊙ Si vous avez envie de vous empiffrer, faites-le devant une toilette ou une poubelle (mais non, pas pour vomir ! Je n'encourage pas les comportements boulimiques). Ce truc m'a beaucoup aidé. Si, par exemple, j'ai envie de M&M, j'en achète un sac et je m'installe devant une cuvette de toilette ou une poubelle. Après en avoir mangé un peu – soit juste assez pour apprécier le goût et la texture –, je jette le reste. Privilégiez la toilette pour ne pas être tenté de repêcher les M&M, les chips, les biscuits et le reste. dans la poubelle. N'ayez pas l'air si scandalisé, je l'ai déjà fait.

⊙ Ne mangez pas seul. Toutefois, évitez les amis qui fréquentent uniquement les restaurants «à risque». Mangez plutôt avec quelqu'un qui partage vos objectifs.

⊙ Si vous avez faim, éloignez-vous des épiceries et des aires de restauration des centres commerciaux. Si vous ne pouvez éviter ce genre d'endroits, buvez un grand verre d'eau qui vous donnera une sensation de satiété temporaire. Ne faites pas vos courses l'estomac vide. C'est la meilleure façon d'acheter ce qu'il ne faut pas.

◉ Ne surévaluez pas votre volonté. Moi, par exemple, je n'en ai pas beaucoup. Je succombe facilement à la tentation. Puisque l'occasion fait le larron, j'évite de m'en créer : je limite mes options. Ne remplissez pas vos armoires de biscuits si vous avez un faible pour ce genre de produits ; vous aurez toutes la misère du monde à vous maîtriser. Au restaurant, demandez au serveur de ne pas vous apporter de pain ni de carte de desserts. Bref, ne tentez pas le diable.

◉ Lorsque vous devez faire le plein, allez à une station d'essence où vous pouvez payer à la pompe. Ainsi, vous éviterez la caisse où il y a toujours quelques tablettes de chocolat ou sacs de croustilles qui vous appellent par votre prénom.

◉ Buvez beaucoup d'eau. Ayez toujours une bouteille d'eau à portée de la main. L'eau nettoiera votre système et vous aidera à vous remplir l'estomac. Pour être moins affamé au moment de commander au restaurant, buvez de l'eau dès votre arrivée et continuez à boire pendant tout le repas.

◉ Cessez de vous mentir à vous-même. Vous n'avez pas de problème glandulaire, ni de gros os, ni une hérédité qui « pèse lourd ». Le pourcentage de personnes qui peuvent attribuer leur obésité à un dérèglement hormonal est infime, et c'est la graisse autour des os qui vous cause problème. Si les membres de votre famille pèsent lourd, c'est parce qu'ils mangent comme des cochons et qu'ils sont sédentaires. Et si vous êtes gros, c'est parce que vous avez grandi en pensant que c'était normal de vivre ainsi et que tout le monde mettait de la sauce dans ses céréales.

⊙ Fermez la télévision, arrachez votre gros derrière de ce sofa et faites quelque chose. Marchez, faites du vélo, faites l'amour, bref, faites n'importe quoi qui augmentera un peu votre rythme cardiaque. Vous n'avez pas besoin d'aller au gym ou de vous procurer de l'équipement sophistiqué, mais bien de bouger.

⊙ Allez au gym. Je sais que je viens juste de dire le contraire, mais si vous voulez vraiment améliorer votre état de santé, vous devez faire des poids et haltères. Vous n'avez pas besoin d'avoir l'allure d'un culturiste, mais vous devez développer votre masse musculaire. Les muscles accélèrent le métabolisme et brûlent plus de calories que la graisse, même au repos. Par ailleurs, les gyms sont remplis de gens qui ont le même but que vous.

Et voilà ! C'était ma façon de perdre du poids.

La vérité et rien que la vérité sur votre santé

Vous dites que vous aimez vos proches. J'ai peine à le croire. Pourquoi ? Parce que vous n'êtes pas prêt à recouvrer la santé pour eux ni à vivre le plus longtemps possible pour prendre soin d'eux.

Bien sûr que vous aimez votre famille, mais pas assez pour abandonner la cigarette. Savez-vous que, selon certains experts, chaque fois que vous en allumez une, vous diminuez votre espérance de vie de 14 minutes ? Vous pourriez faire plein de choses en 14 minutes : jouer avec votre fils, étreindre votre fille, faire l'amour avec votre conjoint, rire, passer du bon temps avec eux.

À quand remonte la dernière fois où vous avez vraiment eu du plaisir avec vos proches ? Ça n'a probablement pas duré plus que 14 minutes. Échangeriez-vous ces moments merveilleux contre une cigarette ? J'espère que non. C'est pourtant ce que vous faites chaque fois que vous fumez.

Et cette barre de chocolat ? Est-elle plus importante que vos enfants ? Avez-vous vraiment besoin de prendre le grand format de frites ? Êtes-vous prêt à mourir pour ces frites ?

Les personnes ayant un problème de poids meurent plus jeunes ou ont une moins bonne qualité de vie que les gens minces. D'une façon ou d'une autre, c'est une version diminuée de vous-même que vous offrez à vos proches. Est-ce une preuve d'amour ?

Vous trouvez que je dépasse les bornes, n'est-ce pas ? Il est temps que j'arrête de me mêler de ce qui ne me regarde pas. Je vous ai averti au début de ce livre : ça allait être laid, parfois.

Vous n'oseriez jamais dire à vos proches que le tabac ou les fettucinis Alfredo ont plus d'importance qu'eux à vos yeux. C'est pourtant ce que vous faites chaque fois que vous fumez ou que vous vous empiffrez. Vous n'utilisez pas de mots, mais le message est tout aussi clair.

Si vous fumez et faites de l'embonpoint, vous avez intérêt à souscrire une bonne assurance-vie (si on accepte de vous couvrir). Vous devrez payer des primes plus élevées. Mais ça vaut sans doute la peine pour des gens que vous aimez à ce point…

Chapitre 9

Échec 101

« Ne revenez pas sur la journée qui s'achève. Vous avez agi de votre mieux ; efforcez-vous d'oublier les gaffes et les erreurs que vous avez pu faire. Et lorsque vous poserez la tête sur l'oreiller, reposez-vous bien. Demain est un autre jour. »

– Og Mandino,
Le plus grand vendeur du monde

Tout le monde fait des erreurs. C'est le propre de l'homme. Si, un jour, vous vous rendez compte que vous n'en faites plus, vous saurez que vous êtes mort.

Non seulement nous faisons des erreurs, mais nous avons des problèmes. Il faut même s'y attendre. Mais il faut éviter de se complaire dans les difficultés.

« Mais, Larry, j'ai de vrais problèmes ! »

Je n'en doute pas. Moi aussi, j'en ai. Nous en avons tous. Mais je ne veux rien savoir des vôtres, pas plus que vous ne voulez entendre parler des miens. Alors fermez-la. Ça ne vous donnera rien de vous plaindre.

Du reste, vous êtes entièrement responsable de vos ennuis. Si vous n'avez pas réussi, c'est parce que vous avez choisi d'échouer. Alors soit vous endurez votre situation, soit vous y remédiez.

Cessez de culpabiliser

Si vous avez fait une erreur, ne perdez pas de temps à culpabiliser. Ce n'est pas en vous traitant de tous les noms que vous assumerez vos responsabilités. Cherchez plutôt à savoir quels choix vous ont amené là. Puis faites d'autres choix pour vous retrouver ailleurs.

QUEL ENFANT INTELLIGENT !

Un jour que je m'apprêtais à quitter la maison pour aller donner une conférence, j'ai eu une conversation très éclairante avec mon fils aîné, Tyler.

Tyler : Tu sais, papa, je n'ai toujours pas compris pourquoi les gens te paient pour que tu leur donnes des conseils.

« Quel blanc-bec ! » ai-je pensé en me gardant bien de rétorquer quoi que ce soit.

Tyler : Je t'écoute parler depuis des années, et il y a quelque chose que je ne saisis pas. Tu n'arrêtes pas de dire que la vie est simple. Mais, au fond, tu la compliques beaucoup trop, je trouve. Veux-tu que je te dise ce que ça prend pour réussir ?

Moi : Oui, absolument ! Vas-y ! Tu as dix-neuf ans, tu viens de perdre ton emploi, tu t'es fait flanquer à la porte du collège et tu as bousillé ta voiture. Mais je suis sûr que tu as toutes les réponses.

Tyler : Quand tu rates ton coup, faut pas en faire tout un plat ! Tu l'admets, tu corriges ton erreur et tu passes à autre chose. Parce que, dans le fond, la vie, c'est un gros *party* !

« Quand tu rates ton coup, faut pas en faire tout un plat ! Tu l'admets, tu corriges ton erreur et tu passes à autre chose. Parce que, dans le fond, la vie, c'est un gros *party* ! »

– Tyler Winget

Vous savez quoi ? Mon fils a raison. Ce n'est pas plus compliqué que ça. Mais ça m'enrage de le reconnaître. Moi, je fais l'effort d'écrire tout un livre, et lui, il donne un coup de pied à mes grands principes pour les résumer en trois phrases.

Ne pas en faire tout un plat. Avez-vous déjà commis une erreur ? Je suis sûr que oui. Et puis après ? Est-ce que ça valait la peine d'en faire tout un plat ? Je suis sûr que non. N'est-ce pas rafraîchissant de voir les choses ainsi ? Quel soulagement ! On peut foirer et ne pas en faire tout un plat.

Est-ce que vous raterez à nouveau votre coup ? C'est pratiquement certain. Mais n'oubliez pas de ne pas en faire tout un plat.

Et maintenant, répandez la bonne nouvelle. La prochaine que quelqu'un vous dira qu'il s'est trompé, souriez et dites-lui de ne pas en faire tout un plat. Vous lui rendrez un fier service.

Examinons le reste des sages propos de mon fils.

Admettre ses erreurs. Je pense que c'est ce qu'on appelle prendre ses responsabilités, une chose que la plupart des gens ont beaucoup de difficulté à comprendre. Si mon fils y est arrivé, c'est que j'ai été un bon papa !

Vous savez à quel point je trouve qu'il est important d'assumer ses responsabilités. Je vous ai donc préparé un petit texte qui vous aidera à le faire. Répétez-le-vous aussi souvent que nécessaire.

À partir de maintenant, j'admets que mon existence est le résultat de mes pensées, de mes croyances, de mes paroles et de mes actions. Je peux donc changer ma vie en changeant mes pensées, mes croyances, mes paroles et mes actions.

Corriger ses erreurs. La plupart du temps, les gens savent comment s'y prendre pour réparer leurs erreurs, et ils le font. Alors je ne vous embêterai pas avec ça.

Passer à autre chose. Voilà l'aspect le plus important. Les gens adorent se vautrer dans leurs problèmes. C'est d'ailleurs pourquoi ils ont créé les groupes de soutien. Ils peuvent y parler indéfiniment de leurs problèmes et se mettre à plusieurs pour les examiner, les décortiquer, les décortiquer à nouveau, pleurer, méditer et ainsi de suite. Bref, faire tout sauf les régler et passer à autre chose !

« Dis donc, Larry, serais-tu en train de dénigrer les groupes de soutien ? »

Et comment ! Dans tous les groupes de soutien que je connais, on se complaît dans la misère des uns et des autres. Si vous faites partie d'un groupe où l'on est plus constructif, alors acceptez mes plus humbles excuses. Mais j'en doute. Allez, balancez-moi tous ces perdants et trouvez-vous de véritables amis.

> **Vous aurez beau vous joindre à un groupe où les gens s'assoient en rond, se tiennent la main, s'étreignent et font des incantations à n'en plus finir, vous ferez du surplace tant et aussi longtemps que vous n'aurez pas pris les mesures nécessaires pour vous bâtir une nouvelle vie.**

Un véritable ami ne tolérera pas vos plaintes ni vos balivernes et il ne vous invitera pas à pleurer sur son épaule. Il va plutôt vous secouer et vous rappeler que vous êtes maître de votre existence et capable de faire face à n'importe quoi ! Il vous proposera son aide et ne vous jugera pas pour vos erreurs. Mais il vous dira que vous êtes le seul responsable de vos problèmes et de leurs solutions, et que pour vous en sortir, vous avez intérêt à vous y mettre dès maintenant.

Voilà ce que c'est un ami.

> **« L'homme qui a mis la main à la barre mais qui continue de regarder en arrière n'est pas prêt pour le royaume de Dieu. »**
> **– Luc, 9:62 KJV**

Voici ce que signifie ce verset pour moi : une fois que vous avez pris les moyens pour vous attaquer à un problème, il faut, si vous voulez effectivement le résoudre, que vous cessiez d'y revenir par la pensée et les émotions.

Autrement dit, passez à autre chose ! D'ailleurs, votre situation actuelle est telle que vous l'avez voulue !

« Quoi ? ? ? »

Vous m'avez très bien compris. Les choses sont comme vous les avez voulues. Sinon, vous vous seriez débrouillé pour qu'elles tournent autrement. Cela signifie aussi qu'en agissant maintenant, vous changerez les choses !

《 Nous sommes faits pour apprendre
par essais et erreurs.
Malheureusement, nos parents,
tout aimants soient-ils,
nous ont appris qu'il ne fallait jamais faire d'erreur.
C'est d'ailleurs pourquoi la plupart des enfants
sont dépossédés de leur intelligence. **》**

– Buckminster Fuller

《 Il n'y a pas de saint sans passé,
et pas de pécheur sans avenir. **》**

– Ancienne messe persane

《 Les parois de n'importe quelle boîte
– qu'elle soit fabriquée par Dieu
ou par un être humain
– peuvent être rabattues
de manière à former un plancher
sur lequel on dansera pour célébrer la vie ! **》**

– Kenneth Caraway

Chapitre 10

Religion versus spiritualité : de quel côté Dieu se trouve-t-il ?

On peut voir la religion de différentes manières. Tant mieux, car c'est quand on en a une vision unilatérale que ça risque de mal tourner.

De nos jours, chacun croit que *seule* sa religion dit la vérité, que *seul* son livre est fiable ou que *seule* son interprétation est la bonne. Personne n'a raison et tout le monde a raison. Moi, je ne sais plus où donner de la tête. Et vous non plus, je parie. À moins que vous ne soyez de ceux qui croient qu'ils sont les seuls à avoir raison...

Pour moi, toutes les religions ont du bon et du mauvais. C'est la raison pour laquelle je crois que la meilleure religion est celle qui donne la paix intérieure, qui incite à aimer davantage, à se soucier d'autrui, à donner à ceux qui sont dans le besoin (et non aux prédicateurs) et à abandonner ses préjugés. Le reste fait partie de la marque de commerce. Nous devrions cesser de nous battre au nom de nos marques respectives et plutôt nous concentrer sur ce qui compte vraiment : l'amour du prochain.

S'il n'y a qu'un seul Dieu, il porte plusieurs noms et plusieurs chemins y mènent. Pourtant, chaque religion se présente comme étant la seule et unique voie pour atteindre cet être suprême. Qui plus est, ses représentants ont besoin d'argent pour paver cette voie et enrôler encore plus de disciples. C'est triste à admettre, mais la religion traite de moins en moins d'amour et de plus en plus d'argent et de politique. Plutôt que d'aimer les gens, elle les condamne et les effraie.

La spiritualité, l'acceptation et l'amour sont plus importants que les institutions religieuses, le jugement et le châtiment. Il vaut mieux nourrir les gens affamés que de chercher à les évangéliser (de toute façon, on n'entend rien quand on a le ventre vide).

Les églises devraient *en*courager (mettre le courage dans) leurs disciples plutôt que les *dé*courager (sortir le courage de). L'amour peut guérir le monde, mais la religion cherche surtout à lui inculquer la peur et la culpabilité.

Une révélation personnelle

J'ai déjà fait partie d'une Église (protestante) qui demandait à ses membres de réciter en chœur une prière qui contenait la phrase suivante : « Nous reconnaissons et confessons nos nombreux péchés et offenses. » C'était complètement insensé ! Je n'ai jamais eu l'impression d'offenser qui que ce soit. J'ai toujours pensé que j'étais plutôt une bonne personne. Bien sûr, comme tout le monde, j'ai fait et je continue de faire des erreurs (la vraie définition du mot *péché*, selon moi). Mais je n'étais certainement pas un pécheur endurci. J'ai donc arrêté de pratiquer.

J'ai toujours cru que ce que l'on dit de soi a tendance à se réaliser. C'était une raison de plus pour laisser tomber cette religion : je n'avais pas du tout envie de devenir quelqu'un de méchant. Plutôt que de se présenter comme un pécheur, ne vaudrait-il pas mieux dire qu'on a fait une erreur, qu'on est désolé et qu'on va faire de son mieux pour s'améliorer ? Est-ce que ça ne serait pas plus pertinent et efficace ? À ce propos, je remets en question certains aspects du programme en douze étapes des alcooliques anonymes, malgré tous ses bienfaits. Je trouve en effet aberrant d'obliger l'alcoolique repenti à affirmer d'entrée de jeu qu'il est un alcoolique. N'aurait-il pas plutôt intérêt à se dire sobre ?

Je vous recommande donc de vous présenter à Dieu et au monde comme étant la personne que vous voulez être.

Ce sont là des réflexions sur la religion auxquelles vous n'êtes sans doute pas habitué. Ça n'a probablement rien à voir avec ce que vous avez appris et cru jusqu'à maintenant. Et vous vous demandez peut-être où je suis allé pêcher ces idées. Je n'ai pas de sources particulières à vous proposer. Aucun livre ne possède toutes les réponses. Pas même celui que vous êtes en train de lire. Il n'y a pas qu'une seule bonne façon de penser. Et ceux qui prétendent le contraire sont des ignorants. D'ailleurs, il arrive souvent que les défenseurs d'une doctrine ne la connaissent pas à fond.

Il y a quelques années, j'étais dans un aéroport lorsqu'un disciple de Hare Krishna s'est approché de moi pour m'offrir le Bhagavad-Gîtâ[3]. Ça tombait bien, je l'avais lu. J'ai voulu discuter avec le type. Mais j'ai bientôt vu qu'il ne saisissait pas un traître mot de ce que je lui disais. Il n'avait qu'une idée : déguerpir. Très peu d'adeptes connaissent leur propre religion ou secte. Très peu d'entre eux ont lu leur propre « livre ».

Voici une citation qui a transformé ma conception de Dieu et de la religion et qui m'a permis de trouver ma propre voie.

« L'ignorance nous habite jusqu'au jour de l'illumination. L'Esprit élargit alors notre vision et chasse l'image de la petitesse devenue inutile. »

– Ernest Holmes,
La Science du mental

---

[3] NDT : Texte renfermant les préceptes de l'hindouisme.

Comme je vous l'ai dit dans un précédent chapitre, peu importe que vous perceviez votre verre comme à moitié plein ou à moitié vide. L'essentiel est que son contenu étanche votre soif. C'est un peu ce que Holmes dit de la religion.

Votre conception de Dieu vous est-elle utile? Fonctionne-t-elle pour vous? Vous incite-t-elle à aimer davantage les autres, à les aider, à ne pas les juger, à mieux les accepter? Si ce n'est pas le cas, cherchez à élargir vos horizons. Il se peut que vous ayez besoin de nouveaux principes, d'une nouvelle religion ou d'une nouvelle Église.

Votre conception de Dieu

Vous et moi n'avons peut-être pas la même conception de Dieu. Je crois qu'il est bonté et amour, alors que vous croyez peut-être qu'il est un homme – ou une femme ou une énergie. Ces différences n'ont aucune importance – ni pour moi ni pour Dieu. Mais puisque c'est moi l'auteur de ce livre et vous le lecteur, je vous ferai part de quelques-unes de mes réflexions au sujet de Dieu et de la religion. À vous de voir si elles vous conviennent.

- Dieu n'est ni un homme ni une femme ni une chose. Dieu est bonté et amour.

- Dieu n'est pas une incarnation, mais l'unification de tout ce qui est amour, bonté et bien.

- Dieu n'est pas méchant ou vengeur.

- Dieu se fout de l'équipe qui remportera le Super Bowl ou les séries mondiales.

- Dieu croit que tout être est parfait tel qu'il est. Par conséquent, il ne croit pas que vous êtes spécial. Personne n'est supérieur ni inférieur.

⦿ Dieu vous aime et vous accepte tel que vous êtes. Vous n'avez pas besoin de changer pour obtenir son approbation.

⦿ Dieu n'a pas besoin de vous punir. Vous vous punissez suffisamment vous-même. Nous ne sommes pas punis à cause de nos péchés, mais par nos péchés.

⦿ Dieu ne juge pas. Ce sont les gens qui jugent. Vous n'avez pas besoin de changer pour que Dieu vous aime et vous accepte (mais il se peut que vous deviez changer pour que les autres vous aiment et vous acceptent.)

⦿ Dieu ne nous récompense pas pour notre bonté. La bonté est notre récompense.

⦿ Dieu a beaucoup de choses à vous dire, mais il faut que vous vous taisiez pour l'entendre. Le message que Dieu vous transmet est unique et personnel.

⦿ Dieu croit en vous.

⦿ Dieu veut ce qu'il y a de mieux pour vous.

⦿ Dieu veut que vous ayez du succès et que vous soyez heureux, en santé et prospère. Il n'a nullement besoin de votre souffrance, au contraire. C'est pourquoi chacun d'entre nous a des compétences particulières qu'il doit utiliser, à défaut de quoi il insultera Dieu.

⦿ Dieu croit que vous avez davantage intérêt à l'écouter qu'à lui parler. Or, on vous dit souvent de parler à Dieu. Vous pouvez le faire, mais pas trop. Il est plus important de l'écouter.

Créé à l'image de Dieu

Dieu est amour. S'il est vrai, comme le dit la Bible, que nous sommes créés à l'image de Dieu, pourquoi faisons-nous de notre mieux pour prouver le contraire? Pourquoi portons-nous autant de jugements sur les autres? Et pourquoi sommes-nous aussi méchants, intrigants, manipulateurs?

Tout simplement parce que nous sommes humains. Mais si nous sommes faits à l'image de Dieu, est-ce à dire que Dieu porte des jugements, qu'il est méchant, intrigant, manipulateur? Difficile à soutenir, n'est-ce pas? Pourtant, bien des gens vouent un culte à un dieu qui a tous ces travers. En réalité, ils se sont créé un dieu à *leur* image, un dieu à dimensions humaines qui justifie leur comportement et leur façon de penser.

DIEU EST AMOUR

Juger est le contraire d'aimer. Il vous est sans doute déjà arrivé de faire une erreur, de traverser une mauvaise passe et de trouver sur votre chemin un véritable ami qui s'est contenté de vous aimer. Plus tard, vous avez compris qu'il ne vous avait pas jugé. De fait, l'amour et le jugement ne peuvent pas coexister. Ça ne nous empêche pas de créer des dieux qui nous jugent.

Je ne crois pas que Dieu nous juge. Je crois que Dieu est amour, *seulement* amour. Toutes les autres caractéristiques que nous lui attribuons sont humaines et en contradiction avec son essence.

Si nous pouvions comprendre cela, nous cesserions de critiquer, de juger les différences, d'être durs envers nous-mêmes. Nous finirions par croire que nous sommes faits à l'image de Dieu et agirions en conséquence. Nous incarnerions l'amour. Nous connaîtrions alors la paix, le bonheur, le succès et l'abondance.

Voici une comptine que j'ai apprise quand j'avais à peu près trois ans, comme des milliers d'autres Américains.

> Jésus aime les petits enfants
> Tous les petits enfants du monde
> Rouges et jaunes, noirs et blancs
> Ils sont précieux pour lui
> Jésus aime les petits enfants du monde

Ces mots nous rendaient heureux. Nous y croyions. Mais nous avons grandi et nous avons décidé que si Jésus aimait les petits enfants, nous n'étions pas obligés d'en faire autant. En fait, nous avons décidé que nous pouvions aimer les petits enfants de différentes couleurs, mais pas nécessairement les adultes qu'ils devenaient.

Certains sont même allés plus loin. Ils ont décidé que même Jésus pouvait très bien ne pas aimer tous les petits enfants – particulièrement ceux nés avec une orientation sexuelle différente de la leur, ceux qui vivent dans les pays du Moyen-Orient qui détestent l'Amérique ou encore ceux qui portent des turbans et jouent avec des AK-47.

Désolé, mais c'est la religion qui nous a mis ces fausses idées en tête. Jésus aime tout le monde : jeunes, vieux, blancs, noirs, rouges ou jaunes. Peut-être que *vous* n'aimez pas tous ces gens, mais vous devriez faire un peu plus confiance à Jésus.

Jésus n'était ni blanc ni américain. Je sais que ça en dérange certains, mais c'est la réalité. Aucun groupe ethnique ne peut prétendre à la paternité de Jésus. Quant à Dieu, il n'a pas de préférence pour un groupe ou pour l'autre. Mais nous préférerions qu'il nous appartienne en exclusivité. Nous aimons l'idée que Dieu bénit l'Amérique[4], mais

---

[4] NDT : Référence à l'hymne national américain *God Bless America*.

voyez-vous, il bénit aussi l'Irak et la France et tous les autres pays. Le petit Tim de Dickens avait raison lorsqu'il disait que Dieu bénissait tout le monde.

Pour vous faire votre propre idée de Dieu, je vous recommande donc de partir à la découverte. Faites beaucoup de lectures. Apprenez à connaître différentes cultures et religions. Testez différentes idées. Optez pour celles qui vous apportent le plus de paix, d'amour, de bonheur et de satisfaction. C'est à ce moment que vous aurez trouvé Dieu.

« Quelle est la différence entre un fondamentaliste et quelqu'un qui s'est fait faire une lobotomie ? Aucune. On leur a tous les deux enlevé une partie du cerveau. »

– Inconnu

« J'ai une religion qui fonctionne très bien pour moi et qui se résume en quelques mots : Aime-toi et tout rentrera dans l'ordre. »

– Lucille Ball

« Ma religion est très simple – ma religion est bonté. »

– Dalaï Lama

« Habituellement, les gens qui veulent vous faire connaître leurs opinions religieuses ne veulent rien savoir des vôtres. »

– Dave Barry

Chapitre 11

Comment nourrir son intelligence

Chaque année, les gens passent en moyenne une centaine d'heures à lire et près de deux mille heures à regarder la télévision. Quarante heures par semaine devant le petit écran comparativement à deux devant des mots.

Selon l'American Booksellers Association :

- ⊙ Quatre-vingt pour cent des Américains n'ont ni acheté ni lu de livre cette année. (Félicitations, vous faites actuellement partie des vingt autres pour cent.)

- ⊙ Soixante-dix pour cent des Américains ne sont pas entrés dans une librairie au cours des cinq dernières années.

- ⊙ Cinquante-huit pour cent des Américains n'ont pas lu de livre après l'école secondaire.

- ⊙ Quarante-deux pour cent des diplômés universitaires américains n'ont pas lu de livre après leurs études.

Selon une autre étude, seulement 14 % des Américains achètent des livres ou les empruntent à la bibliothèque, et la majorité d'entre eux (90 %) ne lisent que le premier chapitre.

Pourtant, les mégalibrairies semblent pousser comme des champignons. De plus, les ventes de livres atteignent des records ces années-ci. Le hic, c'est que les gens ont beau acheter des livres, ils ne les lisent pas. En fait, je crois qu'ils vont dans les librairies juste pour le café et les disques.

Les gens ne lisent pas

Il y a quelques années, j'ai publié *The Simple Way to Success* à compte d'auteur. Après avoir vendu près de 90 % des exemplaires que j'avais mis en marché, j'ai reçu un appel d'un homme qui m'a informé que les pages 158, 159 et 160 étaient blanches. Je n'en croyais pas mes oreilles. Vérification faite, il avait raison. J'avais vendu neuf mille copies de ce livre, et apparemment une seule personne s'était rendue à la page 158. Mon ego en a pris un coup.

C'est bien de posséder des livres. Moi-même j'adore en acheter. Mais ils ne m'apportent pas grand-chose si je ne les lis pas.

Selon le quotidien *USA Today*, 43,6 % des adultes américains ont les compétences de lecture d'un élève du primaire. Et saviez-vous que plus de la moitié des gens qui ont terminé leurs études secondaires sont des analphabètes fonctionnels ? Pathétique.

Amusez-vous à demander aux gens de votre entourage quels livres ils ont lus dernièrement. Je serais surpris qu'ils arrivent à vous nommer un seul titre. Il y a neuf chances sur dix qu'ils ne lisent jamais. Vous savez quoi ? Vous devriez cesser de les fréquenter.

L'ABC DE LA LECTURE

1. Dans la mesure du possible, achetez les livres que vous voulez lire. Fréquentez la bibliothèque pour consulter certains ouvrages de référence et emprunter les livres de fiction que vous ne tiendrez pas à conserver. Mais investissez dans ceux qui changeront votre vie. Bien entendu, si vous ne pouvez pas vous permettre cette dépense, empruntez-les, c'est mieux que rien. Mais en route pour la bibliothèque, traitez-vous de tous les noms pour accepter d'être pauvre à ce point ! En passant, vous pouvez vous procurer des livres à prix modiques dans les bouquineries. On peut y faire de belles trouvailles ; à preuve, j'y ai découvert un de mes ouvrages. À 0,25 $, c'était toute une aubaine !

2. Si le livre vous appartient, écrivez votre nom à l'intérieur. Surlignez les passages importants, prenez des notes dans les marges, inscrivez la date à laquelle vous l'avez terminé et utilisez les pages blanches de la fin pour résumer les leçons que vous en avez tirées. Je vous conseille de prendre ces nouvelles habitudes avec ce livre-ci !

3. Parlez des livres que vous lisez aux gens de votre entourage. Ça consolidera vos apprentissages et ça fera beaucoup de bien à votre ego. Il est fort probable en effet qu'ils n'aient rien lu depuis longtemps. Ça pourrait d'ailleurs les inciter à vous imiter.

4. Ne prêtez pas vos livres. Sous des dehors égoïstes, vous ferez preuve de générosité. En effet, si vous prêtez un livre à quelqu'un, il n'osera pas y inscrire quoi que ce soit, ce qui en diminuera l'impact sur son existence. De plus, il y a de fortes chances qu'il ne vous le rende jamais. Ce sera très embêtant pour vous si c'est un livre auquel vous tenez. Achetez-lui-en plutôt un exemplaire. Il se sentira peut-être obligé de le lire, ce qui ne lui fera pas de tort.

5. Achetez beaucoup de livres. Allez bouquiner dans les librairies. Si un livre vous tente, offrez-le-vous même si vous n'avez pas le temps de le lire dans l'immédiat. Ayez toujours une étagère pleine de livres en réserve dans votre bibliothèque.

6. Lisez plusieurs livres en parallèle, selon le temps dont vous disposez, votre humeur, l'endroit où vous êtes. Quand je n'ai que quelques minutes de liberté, je lis des livres de citations ou des ouvrages qui comprennent de très courts chapitres. Je choisis autre chose quand je peux consacrer plusieurs heures à la lecture – comme en avion, par exemple. Sur ma table de chevet, il y a des livres qui m'aident à relaxer. Et je lis des livres sur des sujets très difficiles lorsque je suis en mesure de bien me concentrer et que je suis frais et dispos.

7. N'hésitez pas à abandonner un livre si vous trouvez que, finalement, il n'est pas bon (mais ne faites pas ça avec le mien). Il se peut qu'au bout de 25 pages, vous décidiez qu'il ne vous dit rien. Remplacez-le par un autre.

8. Lisez pour différentes raisons. Pour apprendre, pour cultiver votre vie spirituelle, pour vous divertir. N'importe quel livre est meilleur que la télévision.

Que devrais-je lire ?

Si vous voulez un conseil, ne lisez pas ce que les démunis lisent. Vous ne voulez pas finir comme eux, n'est-ce pas ? Alors lisez les ouvrages qui passionnent les riches. Vous aurez ainsi une chance d'être comme eux. Simple comme bonjour.

Mais faites bien attention. Les sections des librairies consacrées à la croissance personnelle et à la psychologie populaire sont remplies d'ouvrages écrits par des charlatans beaucoup plus intéressés à se faire du fric qu'à vous aider. Certains succès de librairie sont des ramassis de conneries. La popularité d'un livre n'en garantit pas la qualité.

Du reste, ne vous limitez pas à un genre. Si vous ne lisez que des livres sur la croissance personnelle, ils ne vous donneront plus rien au bout d'un certain temps. Vous deviendrez tout à fait réfractaire à leurs leçons. Explorez les ouvrages sur la philosophie ou la spiritualité, apprenez sur la vie de grands personnages en lisant des biographies, et n'oubliez pas de vous divertir avec des polars, des livres pratiques, des livres humoristiques, etc.

**« Les gens se porteraient mieux
s'ils savaient. »**

– Jim Rohn

NE VOUS EN TENEZ PAS QU'AUX LIVRES

Bien que, d'après moi, il soit plus facile d'apprendre en lisant, vous pouvez avoir recours à d'autres outils. Il n'y a pas qu'une seule façon de nourrir son intelligence.

Audio-apprentissage. Je calcule que, jusqu'à ce jour, j'ai écouté plus de 5 000 heures de présentation de grands auteurs et conférenciers. Si vous voyagez beaucoup, vous trouverez qu'écouter une cassette ou un disque compact est une bonne façon d'acquérir des connaissances. Presque tous les livres sont disponibles en format audio. De plus, différents sites Web vous proposent des documents audio que vous pouvez télécharger pour une fraction du prix du livre. Si vous les téléchargez ensuite sur votre baladeur MP3, vous pourrez les écouter pratiquement n'importe où.

Vidéo-apprentissage. Il existe beaucoup de vidéos de spécialistes de divers horizons. C'est l'un de mes moyens d'apprentissage préférés, car j'aime bien voir la personne qui me parle.

Séminaires. Soyez à l'affût des conférences qui se donnent dans votre ville. Évidemment, vous devrez vous déplacer. Mais forcez-vous. Vous verrez, vous ne le regretterez pas.

Conversations. M'informer auprès des gens est ma méthode d'apprentissage préférée. Vous seriez surpris de voir à quel point les experts en tous genres sont prêts à partager leurs connaissances. Demandez à une personne riche ce qu'elle a fait pour le devenir et elle vous accordera probablement quelques minutes. Ne l'embêtez pas, ne prenez pas trop de son temps, remerciez-la, mais n'hésitez pas à faire appel à elle. Elle appréciera l'intérêt que vous lui portez, et vous vous retrouverez avec une véritable mine d'informations.

Gardez-vous bien de mettre ses propos en doute en disant des choses du genre : « Ah non, ça ne fonctionnera pas pour moi. » Ne vous arrangez pas pour qu'elle se sente obligée de défendre son point de vue. Manifestement, sa méthode a fonctionné puisqu'elle est riche. Je suis toujours surpris de voir à quel point les ratés se sentent le droit de critiquer ou d'argumenter avec ceux qui ont réussi dans la vie. Ils auraient plutôt intérêt à la fermer et à écouter pour enfin apprendre quelque chose d'utile.

Malheureusement, ce n'est pas ce qu'ils font, et c'est la raison pour laquelle la plupart des gens prospères finissent par s'isoler. Ils en ont assez de se justifier. Alors si vous avez la chance de rencontrer quelqu'un qui est prêt à vous dire comment il a réussi, soyez respectueux, intéressé et reconnaissant. Il vous laissera peut-être lui adresser la parole une autre fois.

Si vous hésitez à vous adresser aux gens intelligents et cultivés, contentez-vous de rester dans leurs parages.

Je ne suis pas en train de vous suggérer de les espionner, mais bien de les observer dans l'espoir d'être atteint par leur perspicacité. D'une façon ou d'une autre, vous profiterez de leur présence, ne serait-ce qu'en les écoutant.

Ces gens ont évidemment des conversations plus enrichissantes que les gens stupides. Plutôt que de parler des autres, ils parlent de projets, d'activités, d'actualité... C'est d'ailleurs un truc pour les reconnaître.

Ne cessez jamais d'acquérir des connaissances. Plus vous serez informé, mieux vous serez préparé pour prendre des décisions, moins vous avancerez à l'aveuglette.

Chapitre 12

Se débarrasser du stress

Le stress! Gros morceau!

Avez-vous déjà remarqué à quel point les gens aiment dire qu'ils sont stressés?

« De nos jours, la vie est tellement stressante. »

« Mes enfants me stressent. »

« Les vacances sont une période très stressante. »

« Je suis incapable, ça me stresse trop. »

« Mon patron me stresse! »

Je n'en peux plus d'entendre ce genre de phrases!

Certains de mes collègues gagnent très bien leur vie en donnant des séminaires sur la gestion du stress. Non mais, quelle perte de temps! Pourquoi voudrait-on apprendre à gérer quelque chose dont on veut se débarrasser?

Voici ce que j'ai appris sur le stress (c'est l'une de mes plus importantes leçons): on est stressé quand on sait ce qu'il faut faire et qu'on fait le contraire. J'espère que votre surligneur n'est pas loin, car c'est le moment de vous en servir.

> **On est stressé quand on sait ce qu'il faut faire
> et qu'on fait le contraire.**

Maintenant, prenez une feuille de papier et faites la liste de ce qui vous stresse. Allez-y, prenez le temps qu'il faut.

Examinez bien cette liste. Je suis convaincu que vous savez ce que vous devez faire pour éliminer chacune de vos sources de stress. Vous le savez. Ne le niez pas. Et vous le savez probablement depuis longtemps déjà.

Le hic, c'est que soit vous n'avez rien fait, soit vous avez fait le contraire de ce que vous deviez faire. C'est plutôt ça qui vous stresse.

Si vous êtes comme la plupart des gens qui assistent à mes séminaires, votre liste commence par le nom d'une personne : votre conjoint, un de vos enfants, un employé, un collègue… Or, vous savez ce qu'il faut faire. Vous devez quitter cette personne ou lui dire que vous l'aimez ou lui demander pardon ou la renvoyer ou tirer les choses au clair avec elle. Peu importe ce que vous devez faire, cette personne n'est pas la cause de votre stress. Les coupables sont vos faux-fuyants et votre inaction.

Peut-être que votre embonpoint est votre deuxième plus importante source de stress. Encore une fois, vous savez exactement ce qu'il faut faire à ce sujet. Vous devez cesser de vous empiffrer et commencer à faire de l'exercice. Si vous êtes stressé, c'est parce que vous vous enlisez. Vous continuez de manger comme un porc tout en restant assis sur votre derrière !

Vous comprenez comment ça marche ? Alors, passez en revue chacun des éléments de votre liste en réfléchissant à ce que vous devez faire dans chaque cas. Puis agissez en conséquence. Ce sera peut-être douloureux, onéreux, embarrassant. C'est sûr que ce ne sera pas facile. Mais ce sera quand même moins difficile que de vivre stressé.

Chapitre 13

Apprendre à relaxer

Je ne suis pas porté sur la relaxation. J'ai déjà été pire, mais je pourrais être mieux. Voyez-vous, mon travail m'amène à voyager beaucoup. Quand je reviens à la maison après une absence de plusieurs jours, je n'ai jamais beaucoup de temps pour accomplir toutes les tâches que je me suis fixées. Je me sens toujours bousculé, ce qui ne favorise guère la détente.

Ce n'est pas le cas de tout le monde. En fait, la plupart des gens sont tellement détendus qu'ils ne font rien. Mais les autres – les actifs comme moi – se sentent mal rien qu'à l'idée d'arrêter. Ceux-là doivent apprendre à se décontracter.

J'ai appris que pour être capable de se reposer, il faut d'abord et avant tout aimer l'endroit où l'on habite. C'est mon cas. Je vis à Paradise Valley, en Arizona, un lieu qui me plaît au plus haut point. J'adore la chaleur, et je trouve que le désert est synonyme de paix. De plus, je raffole de ma maison. En fait, j'envie ma femme qui, avec notre mignon petit chien, en profite beaucoup plus que moi.

Je vous encourage à vous aménager une pièce où vous pourrez relaxer. Mon bureau est ce havre de paix. J'y suis entouré de mes objets favoris : livres, objets de collection, bibelots, affiches de cinéma, photos des êtres qui me sont chers. Je suis parfaitement à l'aise dans cette pièce ; elle favorise ma créativité. Lorsque je suis à la maison, j'y passe beaucoup de temps.

Tâchez de vivre dans une ville et dans une maison que vous aimerez. Avec un peu de chance, c'est déjà votre cas. Sinon, créez-vous un lieu où vous pourrez laisser la Terre tourner sans vous en préoccuper – que ce soit une pièce, un recoin ou même une chaise.

On peut également relaxer en faisant une activité qui sert d'exutoire. Certains joueront au golf ou iront à la pêche. D'autres liront, feront de la couture, écouteront de la musique ou iront au cinéma. Moi, je peins. Dès que j'applique de la peinture sur une toile, je décroche complètement. Trouvez une activité qui en fera autant pour vous, qui apaisera votre esprit et qui nourrira votre âme.

L'oisiveté totale permet aussi de se détendre. Prévoyez une journée où vous n'aurez rien au programme : ni rendez-vous avec un ami, ni courses à faire, ni ouvrier à recevoir (de toute façon, il arrivera en retard et brisera plus de choses qu'il n'en réparera). C'est plus difficile qu'il n'y paraît. Vous devez être résolu dans votre intention de ne rien faire.

Voilà. Je n'ai rien d'autre à vous proposer pour décrocher... Je vous avais prévenu, je ne suis pas très doué dans ce domaine.

Chapitre 14

Parlons fric !

Certains prétendent qu'on accorde trop d'importance à l'argent. C'est évident qu'eux-mêmes n'en ont pas des masses. Mais, croyez-moi, il vaut mieux en avoir qu'en manquer. L'argent me permet de faire beaucoup de choses que je ne ferais pas autrement. Alors ne dénigrez pas l'argent ou le plaisir qu'il procure. Sinon, vous n'en aurez jamais beaucoup.

> **« L'argent est à la source de tout ce qui est bon. »**
> – Ayn Rand

Mon cas

Vous vous demandez peut-être pourquoi j'ai attendu jusqu'à ce chapitre pour vous raconter mon histoire. Eh bien, c'est parce qu'elle a beaucoup à voir avec l'argent. En effet, je me suis retrouvé dans le secteur de la croissance personnelle parce que j'ai cruellement souffert du manque d'argent. Nous avons tous nos motivations – la violence physique ou mentale, l'embonpoint, la perte d'un emploi, etc. La mienne, c'était la dèche !

Lorsque j'étais aux études, je travaillais comme opérateur téléphonique à la Southwestern Bell Telephone Company à Muskogee, en Oklahoma. J'ai conservé cet emploi après avoir obtenu mon diplôme. Dix ans plus tard, de nombreuses promotions, plusieurs augmentations de salaire et quelques déménagements plus tard, je me suis retrouvé dans un poste que je n'aimais pas, dans une ville qui me laissait indifférent. Peu de temps après le démembrement de Bell, AT&T a offert à de nombreux directeurs, dont moi, de prendre une retraite anticipée. J'ai sauté sur l'occasion, fait mes valises et pris le chemin de l'Oklahoma. J'ai alors démarré ma propre entreprise de télécommunications. Je n'avais pas vraiment d'argent et aucune connaissance en gestion d'entreprise, mais je savais comment vendre des systèmes téléphoniques. Grâce à mes efforts et à ma détermination, et avec l'aide de quelques bonnes personnes, mon entreprise a pris son essor. J'ai commencé à gagner pas mal de pognon et à comprendre ce que le succès financier signifiait.

Mais à la suite d'une série de mauvaises décisions de ma part (embauche des mauvaises personnes, confiance trahie), d'un revirement de l'économie, de mon insatisfaction à l'égard du secteur des télécommunications, de mon envie de faire autre chose et d'un tas d'erreurs vraiment stupides, mes affaires ont décliné. Ma société et moi-même avons été acculés à la faillite.

Vous trouvez ça triste ? Pas du tout. J'ai mérité cette faillite. Je l'ai créée. Elle découle directement de mes actions. J'en assume l'entière responsabilité. Et malgré la misère dans laquelle elle m'a fait plonger, ça reste la meilleure chose qui me soit arrivée. J'ai tiré de cette expérience plus de leçons que j'en avais tiré à l'université et dans le monde des affaires. J'ai appris à quel point il faut faire ce qu'on aime ; que l'important, ce ne sont pas les événements mais ce qu'on en fait ; qu'être sans le sou, c'est l'enfer. Bref, elle m'a amené à réfléchir aux principes sur lesquels je base ma pratique de conférencier.

J'ai détesté être pauvre. Ça m'a brisé le cœur de céder ma voiture et de vendre progressivement toutes mes affaires pour payer mon hypothèque, verser une pension alimentaire à mon ex-femme et me nourrir. Mais ça m'a forcé à agir. Je n'avais pas le temps d'attendre que les choses s'améliorent d'elles-mêmes.

J'ai dû réorienter toute mon existence pour recouvrer la sécurité financière. J'ai dû étudier, changer mes habitudes et redresser tous les secteurs de ma vie. Voilà le nœud de toute l'affaire. La situation financière d'une personne ne peut pas devenir florissante tant que sa vie va de travers.

Malgré les apparences, ce chapitre traite bien plus de vous que d'argent, car je n'y connais pas grand-chose. Les actions, les placements, les programmes d'épargne, les impôts dépassent mon entendement et ne m'intéressent pas. Je paie des spécialistes pour qu'ils s'en occupent à ma place ; pendant ce temps, je me concentre sur ma spécialité. Et quand je fais ce qu'il faut que je fasse, l'argent arrive de partout.

COMMENT « FAIRE » PLUS D'ARGENT

À moins d'être un faussaire ou le gouvernement, on ne fait pas d'argent : on le gagne ou, plus précisément, on le mérite. C'est une règle qu'on oublie facilement. Alors, plutôt que de vous demander comment vous pouvez vous y prendre pour « faire » plus d'argent, réfléchissez aux services que vous pourriez fournir pour en mériter davantage.

Selon Jim Rohn, une personne gagne cinq dollars de l'heure parce qu'en une heure, elle fournit un service qui vaut cinq dollars. Une autre personne gagnera cinq mille dollars de l'heure parce qu'en une heure, elle fournira un service qui vaut cinq mille dollars. La différence réside non pas dans l'heure, mais dans la façon dont chaque personne la remplit.

On est payé pour le service qu'on rend. Ne confondez pas service et effort. On peut travailler très fort et gagner très peu d'argent. Le salaire n'est pas directement proportionnel au labeur. Sinon, les ouvriers qui sont en train de réparer le toit d'un de mes voisins, à 40 degrés à l'ombre, feraient fortune. Le labeur fatigue, mais il n'enrichit pas nécessairement. Ce qui enrichit, c'est le travail qui rend service à autrui.

Dressez la liste de tout ce que vous pouvez faire pour offrir le meilleur service possible à ceux qui vous entourent : vos clients, votre patron, votre famille, vos amis et même des étrangers. Ne pensez plus à votre boulot en fonction des heures mais bien en fonction du service. Concentrez-vous sur le service. Vous serez étonné de voir à quel point vous vous sentirez mieux par rapport à vous-même, à votre emploi et aux gens que vous servez. Et bientôt, vous gagnerez plus d'argent.

Donnez-leur-en plus pour leur argent. Et bientôt, vous en recevrez plus vous-même. Mais vous n'avez pas envie d'en donner plus, n'est-ce pas ? La plupart des gens rechignent à faire ce petit effort supplémentaire, à donner la moindre minute de leur temps à leur employeur, à leurs clients. Et après, ils sont surpris de ne pas avoir de promotion. Allons donc ! Qui récompenseriez-vous : la personne qui atteint les objectifs que vous lui avez fixés ou celle qui les dépasse ?

Développez votre conscience de l'argent. Que pensez-vous de l'argent ? Que vous en soyez conscient ou non, vous en avez une opinion. Elle vous a été transmise par votre éducation, votre classe sociale, votre culture, l'endroit où vous avez grandi, l'école, la génération à laquelle vous appartenez et de nombreux autres événements plus ou moins importants qui ont façonné votre personnalité. Certains ont développé une conscience de prospérité, d'autres, une conscience de pauvreté.

La conscience de prospérité est basée sur la croyance en l'abondance. Selon ce point de vue, l'univers a assez de ressources pour tout le monde, et personne ne manquera jamais de rien.

En revanche, lorsqu'on a développé une conscience de pauvreté, on craint toujours de manquer. On est convaincu que toute ressource est limitée et que, si quelqu'un gagne, quelqu'un d'autre doit perdre.

Quelle que soit votre conscience, elle est profondément ancrée dans votre esprit, et elle détermine la somme que vous avez dans votre compte de banque. Il en va de même de votre opinion des riches.

« Riez des riches et vous ne le serez jamais. »
– Révérend Ike

Vous n'êtes pas certain du type de conscience de l'argent que vous avez développé... Regardez le montant que vous avez en banque. Cela répondra à votre question.

Par ailleurs, réfléchissez à ce que vous ressentez lorsque vous dépensez. Et je ne parle pas des achats que vous aimez faire le samedi au centre commercial, mais bien de l'épicerie, des primes d'assurance, de l'électricité, du gaz, de l'impôt et des autres cotisations. Êtes-vous réticent à régler vos factures au point d'attendre à la dernière minute pour le faire ? Trouvez-vous injuste de payer des impôts ? Si vous avez de la difficulté à débourser, vous aurez de la difficulté à gagner. Car l'argent vient à qui le laisse aller.

> **L'argent vient à qui le laisse aller.**

Je vous recommande donc de payer vos factures avec le sourire, sans rechigner, sans vous plaindre, sans dire que c'est tout ce que vous recevez par la poste. Soyez heureux d'avoir suffisamment d'argent pour faire face à vos obligations.

Nous avons tous des factures à payer, même les riches – surtout les riches, en fait. Ne pensez pas que l'argent les soustrait à toute obligation financière. Au contraire. Leurs responsabilités comptent beaucoup plus de zéros.

Mais ce ne sont pas les factures en soi qui vous causent problème, n'est-ce pas ?

« Tu as fini par comprendre, Larry. Je n'ai tout simplement pas assez d'argent pour payer mes factures. Comment pourrais-je être heureux de les recevoir ? »

Rouspéter ne vous servira à rien. Cela rendra même votre situation plus difficile et éloignera l'argent. Pourquoi le fric apparaîtrait-il dans la vie de quelqu'un qui s'en plaint constamment ? Ces factures ne sont pas arrivées chez vous par hasard. Vous avez obtenu quelque chose en échange. Vous êtes tenu de les payer. De plein gré. Avec joie. À temps.

Je vous recommande également de payer vos impôts avec plaisir. Vous trouvez sans doute que j'exagère. Mais pensez-y. Je parie que vous êtes content de profiter des rues pavées, des services de la police, du service des incendies, bref, des services offerts par les différents ordres de gouvernement. Je sais que les gouvernements ne dépensent pas toujours de façon avisée et qu'ils créent des programmes parfois inutiles. Je sais qu'il y a de la corruption, du gaspillage et beaucoup de stupidité dans l'administration publique. Votez différemment pour protester, mais ne tentez pas d'échapper au fisc.

D'ailleurs, n'oubliez pas que c'est parce que vous avez gagné de l'argent que vous payez des impôts. Plus vous en payez, plus vous en avez gagné. Croyez-en mon expérience, c'est bien plus facile de payer de l'impôt que de ne pas en payer parce qu'on n'a pas gagné un sou.

Dépensez. Vous avez peut-être de la difficulté à le croire, mais dépenser est beaucoup plus difficile qu'il n'y paraît.

> **« Presque tout le monde sait comment gagner de l'argent, mais peu de gens savent comment le dépenser. »**
> **– Henry David Thoreau**

Ayez du plaisir à dépenser. Ne le faites pas inconsidérément, mais tâchez d'apprécier ce que l'argent vous permet de vous procurer. Bien entendu, vous devez d'abord régler vos factures, assumer vos responsabilités, épargner, investir, partager. Mais ensuite, faites-vous plaisir. « Faites circuler l'argent, dit John Randolph Price. Si vous le gardez pour les mauvais jours, ils pourraient arriver. »

N'oubliez pas que l'argent vient à qui le laisse aller. Si vous êtes réticent à ouvrir la main pour le laisser aller, vous aurez autant de difficulté à l'ouvrir pour en recevoir.

« Mais les choses coûtent tellement cher ! »

Encore une fois, vous voyez les choses à l'envers. Le problème, ce n'est pas le prix des choses, mais bien le fait que vous n'avez pas les moyens de vous les procurer. Vous plaindre des prix ne les fera pas baisser. En revanche, vous pouvez vous arranger pour avoir plus d'argent.

« Mais comment ? »

Soyez bien attentif, ici. *Tout d'abord, croyez que vous méritez plus d'argent.* Vous commencerez à en avoir plus lorsque vous en serez persuadé. Et les mots vous aideront à vous convaincre. Lisez la déclaration de prospérité ci-dessous. Je l'ai écrite quand j'étais absolument sans le sou. Je l'avais toujours sur moi et je la lisais au moins 50 fois par jour. Je la lis encore chaque jour.

DÉCLARATION DE PROSPÉRITÉ

Je vis dans un monde d'abondance ! Je suis riche et je ne cesse de m'enrichir ! J'ai plus d'argent qu'il ne m'en faut pour faire face à mes obligations et me permettre d'acheter tout ce que je veux. L'argent est facile ! J'en ai de reste ! Je m'attends à connaître l'abondance et le succès ; par conséquent, je vis dans l'abondance et j'ai du succès. L'argent vient à moi de partout. Les gens me veulent du bien. Le courrier et le téléphone ne m'apportent que de bonnes nouvelles. J'ai plein de projets payants, amusants, stimulants. Mes paroles véhiculent l'amour et la sagesse. Je rends service aux autres. Je suis prêt à saisir toutes les occasions de les aider. Je donne volontiers et avec amour. Je suis toujours reconnaissant !

Cette déclaration m'a aidé à m'orienter vers une vie d'abondance. Elle en fera autant pour vous.

Croyances importantes

Vous devez croire en vous, en ce que vous faites, en vos clients, à l'entreprise pour laquelle vous travaillez. Quelle que soit votre activité, elle rend service aux autres, autrement elle n'existerait pas. Plus vous vous y appliquerez, mieux vous l'accomplirez et meilleure sera votre récompense.

Si vous n'arrivez pas à croire à votre entreprise, quittez-la pour une autre à laquelle vous croirez.

Croyez en vos clients. « Tout l'argent que vous aurez, a dit un jour Earl Nightingale, est actuellement entre les mains de quelqu'un d'autre. » Ce « quelqu'un d'autre », c'est le client. Vous avez beau appeler les gens avec qui vous faites affaire par d'autres noms – patients, collègues, auditoire, etc. –, ce sont des clients que vous devez servir. Pour bien le faire, vous devez croire en eux et en dire du bien. N'oubliez pas qu'ils n'auront sûrement pas envie de partager leur argent avec quelqu'un qui les sert mal et les dénigre.

Vous devez aimez et croire en ce que vous faites pour que l'argent vienne vers vous.

« Mais, Larry, ce que j'aimerais faire ne paie pas bien. »

Vous avez alors deux possibilités. Soit vous faites de votre mieux pour apprendre à aimer votre travail, soit vous cherchez à faire autre chose. J'ai déjà couvert cet aspect, mais ça vaut la peine d'y revenir. Commencez par envisager votre travail sous un nouvel angle. Rappelez-vous de ce qui vous a incité à le choisir, du plaisir que vous avez éprouvé au début. C'est peut-être tout ce dont vous avez besoin pour l'apprécier à nouveau. Dressez la liste de tout ce qui vous plaît dans votre métier. Si vous faites preuve d'honnêteté, je parie que votre liste sera assez longue. Faites abstraction des aspects négatifs et concentrez-vous sur les aspects positifs jusqu'à ce que vous tombiez en amour avec eux.

Si vous avez dépassé ce stade et que vous détestez cordialement votre travail, quittez-le pour faire ce que vous aimez vraiment. Et ne me dites pas que vous aimez regarder la télévision et boire de la bière. L'heure n'est pas à la rigolade. J'essaie de vous aider à gagner plus de fric, et ce n'est pas ce genre d'activité qui vous permettra d'y arriver. Je sais que la perspective de quitter son emploi est effrayante. D'ailleurs, je ne vous conseille pas de le faire du jour au lendemain. Vous devez vous préparer avec soin.

D'abord, réfléchissez à vos aptitudes. Avez-vous un don particulier ? Vous permettrait-il d'entreprendre une activité qui vous passionnerait ? Est-ce que ceux qui s'adonnent à ce genre d'activité ont un niveau de vie auquel vous aspirez ? Si vous avez répondu par l'affirmative à ces trois questions, efforcez-vous de découvrir les débouchés qui s'offrent à vous. Mais assurez-vous qu'en changeant de carrière vous ne ferez pas souffrir inutilement votre famille. C'est merveilleux d'avoir une passion, mais pas au détriment des personnes qui comptent sur vous.

Je reçois beaucoup d'appels, de lettres et de courriels de gens qui veulent devenir des conférenciers professionnels comme moi. Je ne les encourage pas. De toute façon, s'ils sont résolus, rien de ce que je pourrais leur dire ne les influencera. Je leur demande simplement de s'assurer qu'ils ont suffisamment de talent pour exercer ce métier. C'est rarement le cas.

Ce n'est pas parce que quelqu'un joue bien du piano qu'il pourra devenir musicien professionnel. Il en va de même du métier de conférencier. Une personne peut avoir de la facilité à parler en public, mais elle n'a pas nécessairement ce qu'il faut pour en faire son gagne-pain. Donc, assurez-vous de pouvoir exercer votre activité préférée avec beaucoup de brio pour en faire une profession. Autrement, gardez-la comme passe-temps. Soyez honnête envers vous-même dès le départ ; cela vous évitera d'amères déceptions.

« Lorsque l'amour et l'habileté travaillent ensemble, ils créent un chef-d'œuvre. »
– John Ruskin

SOYEZ RECONNAISSANT

《 Pour se débarrasser de sa mentalité de gagne-petit, il faut d'abord être reconnaissant de tout ce qu'on a et de tout ce qu'on est. 》

– Dr Wayne Dyer

« Mais, Larry, je n'ai pratiquement rien. »

Je ne vous demande pas d'être satisfait, juste reconnaissant. Vous savez, votre situation pourrait être pire. Alors soyez au moins reconnaissant pour cela.

« Mais, Larry, ma situation est désastreuse ! »

Je peux comprendre, je suis passé par là. J'ai divorcé, j'ai souffert de solitude, j'ai eu le cœur brisé et j'ai fait faillite. Je me suis senti terriblement coupable. J'ai détesté mon emploi, j'ai eu des problèmes financiers, j'ai perdu des proches, j'ai pris de terribles décisions, je me suis mis dans des situations embarrassantes, j'ai dit des choses stupides et blessantes à des gens que j'aimais, j'ai foutu en l'air mon mariage et j'ai abandonné mes enfants, et plus encore. Ça ressemble à ce que vous avez vécu ? Oui ? Ça ne m'étonne pas.

Nous vivons tous des drames. Nous agissons tous comme des idiots à l'occasion. C'est comme ça. Ce qui est extraordinaire, ce n'est pas de rencontrer des obstacles, mais bien de les surmonter. Encore une fois, ce ne sont pas les événements qui comptent, mais ce qu'on en fait.

Voici un exercice pour vous. Je vous avertis, vous allez encore faire une liste. Voyez-vous, le fait de mettre les choses par écrit jette sur elles un éclairage différent. Donc, dressez la liste de tout ce qui va bien pour vous à l'heure actuelle. Écrivez tout ce qui vous vient à l'esprit. Et ne me dites pas que rien ne va, car c'est faux. D'abord, vous avez acheté ce livre. Vous avez donc suffisamment d'argent pour vous payer quelques bouquins. Ensuite, si vous avez un peu d'argent, c'est probablement que vous avez un emploi. Même si vous ne l'aimez pas et prévoyez le quitter, c'est quelque chose de positif, car bien des gens sont au chômage. Troisièmement, vous lisez. Cela signifie que vous voyez. Quatrièmement, êtes-vous debout? Non, alors vous avez une chaise. Vous avez de l'éclairage? Vous êtes donc en mesure de vous payer l'électricité.

« Arrête ! C'est ridicule ! »

Je sais. Je voulais juste que vous admettiez que votre vie n'est pas une complète catastrophe. Continuez la liste, maintenant. Adoptez une perspective plus vaste. Pensez à votre santé, à votre voiture, même si c'est un tacot. Je ne vous autorise à revenir à la présente section que lorsque vous aurez terminé cette liste. Je suis sérieux. Ce livre vous sera bien plus profitable si vous suivez mes conseils. Alors, faites ce que je dis.

> **❮❮ Lorsqu'on entend quelqu'un se plaindre, on peut en déduire qu'il n'apprécie pas suffisamment ce qu'il a déjà. ❯❯**
> **– Lowell Fillmore**

ÉTUDIEZ LA PROSPÉRITÉ

Inspirez-vous des riches pour choisir vos lectures. Croyez-moi, ça ne vous rapportera rien de lire la même chose que les pauvres.

Pour apprendre à gérer votre argent, lisez quelques-uns des nombreux livres sur l'épargne et l'investissement disponibles sur le marché. Consultez également un conseiller en placement. Trouvez quelqu'un de confiance qui s'occupe de gens dans votre situation. Mais d'abord, vérifiez s'il est plus prospère que vous. Ne confiez jamais la gestion de vos finances à quelqu'un qui n'est pas bien nanti. Je reçois beaucoup d'appels de courtiers qui m'offrent leurs services. Je commence toujours par m'informer de leur revenu. La plupart n'aiment pas se faire poser cette question, mais ils sont bien obligés d'y répondre s'ils veulent m'avoir comme client. Je ne fais affaire qu'avec ceux qui sont plus à l'aise que moi. Ne laissez jamais un pauvre vous dire comment vous enrichir. (Je vous conseille de la surligner, celle-là !)

DONNEZ UNE PARTIE DE VOTRE ARGENT

Soyez généreux. De grâce, ne me dites pas que vous ne pouvez pas vous le permettre. Vous avez certainement assez d'argent pour en donner aux autres, ne serait-ce qu'un tout petit peu. Dans ce domaine, la régularité est la clé. Prenez l'habitude de faire régulièrement des dons à des organismes réputés qui aident les gens démunis. Chaque fois que vous recevez de l'argent, donnez en une partie. Plus vous en donnerez, plus vous en aurez à donner. Ça a l'air magique, mais c'est vrai.

> **« Lorsqu'on donne sans crainte d'être dans le besoin, on ne l'est jamais. »**
> – Winifred Hausmann

AYEZ TOUJOURS BEAUCOUP D'ARGENT LIQUIDE SUR VOUS MAIS VIVEZ FRUGALEMENT

Je traîne toujours un millier de dollars en liquide sur moi. Je me sens mieux avec tout cet argent en poche. Je n'en ai pas *besoin* pour me sentir bien dans ma peau. De façon générale, j'ai plutôt confiance en moi. Mais j'aime la sensation que me procure cette grosse liasse de fric.

Lorsque je me retrouve devant tout un auditoire à donner une conférence, et que ça ne va pas comme je veux (croyez-le ou non, ça arrive de temps en temps), alors je mets la main dans ma poche gauche et je sais que ce n'est pas grave.

« Mais voyons, Larry, je ne sais même pas si j'ai 1 000 $ en banque ! »

D'une certaine façon, le chiffre ne compte pas. L'important, c'est qu'il vous mette *mal* à l'aise. Oui, j'ai bien dit *mal* à l'aise. Ainsi, vous vous sentirez un peu fanfaron. C'est justement le but de l'exercice. Vous devez vous sentir capable d'en imposer. Pas aux autres, mais à vous-même. Il vous faut un montant qui vous aidera à développer votre conscience de prospérité. Croyez-moi, je n'ai pas toujours eu 1 000 $ en poche. J'ai commencé par un billet de 100 dollars. Puis j'en ai ajouté un autre, puis quatre autres, et ainsi de suite.

Commencez par la somme que vous voulez. L'essentiel, c'est qu'elle soit un peu trop importante. Ça vous donnera de la liberté. Vous ne serez pas pris au dépourvu si le lunch vous coûte un peu plus cher que prévu. Ou encore vous pourrez profiter de telle ou telle aubaine. Mais il ne s'agit pas de pouvoir d'achat, car vous devrez remplacer ce que vous dépensez. Il s'agit d'une sensation.

Avoir cet argent en poche me rappelle tout le chemin que j'ai parcouru depuis mon enfance à Muskogee, en Oklahoma, quand j'élevais des poulets et que je ramassais des bouteilles de boissons gazeuses pour avoir un peu d'argent de poche. Ça me rappelle ma faillite, tout ce que j'ai perdu et tout ce que j'ai fait pour le récupérer. Quand on a réussi, on a besoin de rappels de la sorte.

Ne me dites pas que vous avez une carte de crédit platine et que vous n'avez pas besoin d'argent comptant. D'abord, tout le monde peut avoir une carte de crédit platine ; mon fils en a une, c'est dire ! Ensuite, je le répète, il n'est pas question de pouvoir d'achat, mais bien de conscience de prospérité.

Le *cash* est roi. Il l'a toujours été. Il le sera toujours.

Assez, c'est combien ? Le succès financier n'est pas une affaire de chiffres. Tout est relatif. Vous saurez que vous avez assez d'argent quand vous aurez fait de votre mieux, seulement de votre mieux.

Est-ce qu'un revenu de 250 000 $ par année est suffisant ? Pas si vous êtes en mesure d'en gagner deux millions. Si, en faisant de votre mieux, vous pouvez toucher des millions de dollars et que vous vous contentez de centaines de milliers, vous n'êtes pas à la hauteur de ce que vous avez à offrir et vous ne réalisez pas votre plein potentiel.

Est-ce qu'un revenu de 20 000 $ par année est suffisant ? Oui, si vous avez fait de votre mieux, offert le meilleur de vous-même, rendu service aux autres et cru en ce que vous faisiez.

Chapitre 15

Mariage, amitié et autres calamités

Avant toute chose, je tiens à préciser que je ne suis pas un spécialiste en matière de relations humaines. Mais j'ai lu quelques livres sur le sujet, et j'en suis venu à la conclusion que les soi-disant experts ne s'y connaissent pas plus que moi.

La plupart des auteurs avancent comme argument central que l'homme et la femme ne viennent pas de la même planète. A-t-on vraiment besoin de lire tout un livre pour apprendre ça ? Cette différence est à la base même de notre attirance mutuelle. Du reste, chaque être humain est unique. Pas besoin d'un séminaire sur la diversité pour savoir ça ; le bon sens et un peu d'observation suffisent. Par ailleurs, nous devons nous rappeler que nous avons aussi beaucoup de points en commun. Nous devons les découvrir et les célébrer pour entretenir des relations plus harmonieuses.

En passant, je me soucie peu de votre orientation sexuelle. Que vous soyez attiré par les hommes, les femmes, les jeunes, les vieux, les animaux ou les poupées gonflables ne regarde personne d'autre que vous. Dans la mesure où vous ne faites pas de détournement de mineurs, vous avez ma bénédiction. Je suis d'avis qu'entre adultes consentants, on peut entretenir toutes sortes de relations si elles sont basées sur l'amour réciproque. Un point c'est tout. Laissons la morale et l'hypocrisie en dehors de ça.

J'ai probablement choqué quelques lecteurs ici. Ça ne me dérange pas. En fait, c'est un peu le but de la manœuvre. Je veux vous amener à penser différemment. Comprenez-moi bien : je ne veux pas vous forcer à embrasser de nouveaux principes, mais bien à élargir vos horizons. Écoutez ce que j'ai à dire jusqu'au bout, réfléchissez-y, adoptez les idées qui ont du sens pour vous, oubliez les autres et passez à autre chose. Entendu ?

J'examinerai d'abord la relation conjugale puisque c'est encore celle qui est la plus courante et apparemment la plus problématique dans notre civilisation. J'aborderai ensuite les divers éléments sur lesquels reposent la plupart des relations humaines.

La relation conjugale

La moitié des gens mariés finissent par divorcer. Déplorable ? Pas nécessairement. La vie de couple n'est pas pour tout le monde et elle n'est pas synonyme de plénitude, malgré ce que la société donne à entendre. Je ne suis pas étonné de voir que la plupart des mariages tournent mal. Nous avons de cette relation une vision complètement erronée.

Nous avons tort de croire que le mariage apporte la stabilité. Il réunit deux êtres vivants qui changent constamment, se développent, se contractent, bougent, grandissent et meurent. Il ne peut faire autrement que prendre la forme que ces deux partenaires lui donnent. Il arrive que mari et femme évoluent différemment en s'éloignant l'un de l'autre, qu'ils n'aient plus envie de faire le nécessaire pour maintenir la relation ou encore qu'ils s'intéressent à d'autres personnes. Si les gens changent, leur relation changera aussi. La vie est ainsi faite. N'allez pas croire que je dénigre le mariage. Je fais seulement preuve de réalisme.

Il est essentiel de comprendre que, comme toute autre relation humaine, le mariage est mouvant, provisoire. Vous êtes naïf si vous pensez que le vôtre est différent, qu'il a atteint sa forme définitive et qu'il sera le même dans 10 ou 20 ans. Pour être heureux dans une relation de couple, il faut pouvoir la renouveler constamment en se concentrant sur le moment présent sans trop replonger dans le passé ni canaliser toutes ses énergies sur l'avenir.

Vous trouvez mes idées blasphématoires? Je l'espère bien. Les fameux liens sacrés du mariage doivent être profanés, car ils sont basés sur une antique loi de propriété qui n'accordait guère plus de valeur aux femmes qu'au mobilier. Encore heureux qu'elles aient pu porter des enfants et cuisiner.

Le mariage est un contrat social qui suscite la peur, la culpabilité, l'obligation et les compromis. La peur exclut l'amour; la culpabilité est destructrice; l'obligation nourrit le ressentiment; et les compromis mènent à la perte de l'identité.

> **《 Le problème, avec les liens du mariage,**
> **c'est qu'il y a trop de liens**
> **et pas assez de mariage. 》**
> **– Christopher Morley**

Et mon réquisitoire ne fait que commencer.

UN ENGAGEMENT MAL PLACÉ

Certains couples vouent un tel culte à l'institution du mariage que, plutôt que de divorcer, ils maintiennent une relation malheureuse. Ils n'arrivent pratiquement plus à s'adresser la parole sans se blesser et, pourtant, ils ne se résignent pas à se séparer. Vous en doutez ? Regardez autour de vous.

D'autres restent ensemble même s'ils n'éprouvent plus rien l'un pour l'autre, par sacrifice pour leur progéniture. Or, les enfants ne profitent aucunement d'une telle situation. C'est leur premier modèle de relation conjugale. Quand, une fois adultes, ils font à leur tour des mariages désastreux, leurs parents se demandent ce qu'ils ont fait de travers. Ils n'ont pas à chercher bien loin : ils leur ont donné le mauvais exemple.

Je pourrais quitter l'institution du mariage n'importe quand sans le moindre regret. Je suis sérieux. Je me « démarierais » volontiers. J'ai été souvent tenté de le faire.

Pourtant, je serais bien incapable de me séparer de mon épouse. Avant de me traiter de sale type, laissez-moi vous expliquer comment je vois les choses.

Mon engagement envers mon épouse est profond, mais je n'en ai aucun envers le mariage. Qu'est-ce qui est préférable, d'après vous ? Je sais que ma femme apprécie être mariée, mais si on lui donnait le choix, elle laisserait tomber l'engagement institutionnel au profit de l'engagement personnel. Je suis convaincu que votre conjoint et vous feriez de même.

LE LAISSER-ALLER ET LA NÉGLIGENCE

« Le mariage doit incessamment combattre
un monstre qui dévore tout : l'habitude. »
— Honoré de Balzac

Beaucoup trop souvent, les gens mariés se tiennent mutuellement pour acquis. Pour ceux-là, le mariage est comme une sécurité d'emploi. Je ne crois pas aux bienfaits de la sécurité d'emploi. C'est un passeport pour la paresse. Une union calquée sur ce modèle est vouée au désastre.

Observez les couples dans la rue, particulièrement ceux qui se sont formés à l'école secondaire. Elle était *cheerleader* et lui, quart-arrière. Vingt ans plus tard, elle est encore mince et jolie, tandis qu'il a 20 kilos de trop et un ventre qui pend sur sa ceinture. Peut-être que cet homme a plein de qualités, qu'il est un père génial et qu'il adore sa jolie petite femme, mais, chose certaine, il la tient pour acquise. Il ne doute pas une minute qu'elle le trouve encore séduisant, même s'il a la forme d'un ballon de football.

On trouve également le modèle inverse : il fait de son mieux pour se maintenir en forme et avoir fière allure, tandis qu'elle a laissé les kilos s'accumuler, ne se maquille plus, ne se préoccupe pas de sa disgracieuse repousse grise et semble abonnée à la tenue de jogging. Elle tient son mari pour acquis et ne comprend pas pourquoi il reluque les jolies femmes au centre commercial.

Je suis sûr que vous reconnaissez certains de vos amis dans ces exemples. Qui sait, peut-être vous reconnaissez-vous. Vous prétendez avoir de bonnes raisons pour vous négliger : le travail, les enfants, la fatigue… Désolé, mais ça ne tient pas la route. Dans le fond, vous vous en foutez. Autrement, vous auriez envie de prendre soin de vous.

J'ai déjà entendu des hommes dire qu'ils n'avaient plus vraiment besoin de s'occuper de leur apparence puisqu'ils étaient déjà mariés. Si vous êtes aussi stupide qu'eux, préparez-vous. Il y a de fortes chances pour que vous finissiez cocu. Votre femme ne tardera pas à s'intéresser à quelqu'un qui pense autrement.

La nonchalance et le laisser-aller se manifestent dans d'autres secteurs que l'apparence physique. Lorsque vous courtisiez votre future épouse, lui teniez-vous la porte ? Dans les premières années de votre mariage, apportiez-vous une tasse de café à votre mari pendant qu'il se rasait ? Est-ce que vous lui massiez les pieds après une dure journée de travail ? Lui faisiez-vous des compliments ? Parliez-vous ensemble de vos journées, de vos rêves, de vos désirs ou de vos fantasmes ? Si vous n'avez plus l'habitude de faire ces choses – et il ne s'agit que de quelques exemples –, c'est que vous avez laissé la paresse s'installer.

LE SENTIMENT DE PROPRIÉTÉ

Un certificat de mariage n'est pas un acte de propriété ni même un contrat de location. Ça n'empêche pas certains de considérer leur relation conjugale comme une chose qui leur appartient. « C'est à moi et je peux en faire ce que je veux », disent-ils. En un sens, ils ont raison. Mais comme c'est le cas de n'importe quelle autre possession, ils ont intérêt à y faire attention.

Vous pouvez laisser la saleté et le désordre s'accumuler dans votre maison, ne jamais repeindre les murs, garder les ordures dans la cuisine jusqu'à ce que ça sente mauvais et que ça attire la vermine. Vous pouvez garer votre voiture trop près des autres véhicules et lui faire prendre quelques bosses, ne jamais la nettoyer ou faire la vidange d'huile, conserver vos vieux pneus. Vous pouvez faire ce que vous voulez de ces biens, car ils vous appartiennent. On n'y peut rien si c'est ainsi que vous avez décidé de les traiter. Mais est-ce une bonne idée pour autant ? Pas que je sache.

Il existe un tout autre type de propriétaire. Celui-là est fier de ce qu'il possède et y fait attention au point d'en faire une obsession. Je vous conseille de l'imiter. Faites attention à votre mariage. Bichonnez-le.

Soignez votre apparence pour votre conjoint, mettez vos plus beaux habits pour lui, lavez-vous avant d'aller au lit. Les femmes, maquillez-vous ; les hommes, mettez un peu de parfum. Faites comme si vous deviez le séduire à nouveau. Faites le nécessaire pour attiser l'ardeur.

LE MYTHE DU ROMANTISME

> **« Un bon mariage en est un qui peut survivre aux quatre-vingt-dix jours d'euphorie de l'amour romantique. »**
> – Edward Abbey

Êtes-vous de ceux qui croient qu'on donne son cœur à l'être aimé lorsqu'on se marie ? Mauvaise idée. Votre cœur n'appartient qu'à vous. Ne le partagez avec personne. Et tant qu'à y être, ne partagez pas trop vos pensées. Vous n'en avez pas de reste. En revanche, s'il y a une chose que vous devez partager avec votre conjoint, c'est le temps. Le mariage est une union entre deux personnes qui ont décidé de vivre ensemble le plus heureusement et le plus longtemps possible. De grâce, faisons preuve d'un peu de réalisme.

> **« Elles m'ont arraché le cœur et l'ont complètement écrabouillé. »**
> Lewis Grizzard,
> *They Tore Out My Heart and Stomped That Sucker Flat*

Ne vous méprenez pas sur le sens de mes propos. Je n'ai rien contre l'amour romantique. Mais c'est un sentiment ; ça n'a rien à voir avec le mariage. On a idéalisé cette institution au point de croire que c'est la seule façon de vivre conjugalement. Le mariage doit être un choix.

« Serais-tu en faveur de l'union libre, Larry ? »

Absolument. On ne connaît pas une personne tant qu'on n'a pas vécu avec elle. Il faudrait passer une loi interdisant aux futurs époux de se marier tant qu'ils n'ont pas cohabité pendant au moins un an. À la fin de l'année, soit ils se séparent sans obligation de part et d'autre, soit ils obtiennent leur permis de mariage. Je vous garantis que le nombre de divorces diminuerait de moitié.

« Mais ils vivraient dans le péché ? »

Ça dépend de votre définition du péché. À mon avis, le plus grand péché est de permettre à des gens qui se connaissent à peine de se marier. Et si vous êtes marié ou l'avez été, vous savez qu'on ne connaît son conjoint qu'après avoir vécu un bon bout de temps avec lui. « La personne avec qui on se marie n'a pas vraiment d'importance, a dit Will Rogers, car ce ne sera pas la même le lendemain de la noce. »

Le mythe du mariage veut que l'on s'unisse pour former un tout parfaitement harmonieux, avec compte conjoint et même nom de famille à la clé. Non mais, quelle connerie ! On devrait repenser le mariage et encourager les gens à développer leur personnalité, à être solides, autonomes et parfaitement capables de vivre seuls, avant d'envisager d'unir leur destinée à quelqu'un d'autre. (Et même si ça marche bien entre vous, gardez des comptes distincts et chacun votre nom !)

« Alors, si je comprend bien, Larry, tu es contre le mariage. »

Mais non.

« Es-tu pour le divorce ? »

Oui.

Il n'y a rien de mal à divorcer, et les gens ne devraient pas hésiter à le faire. C'est une solution tout à fait adéquate à un mariage qui bat de l'aile (tout comme peut l'être la thérapie conjugale). Il vaut mieux se séparer plutôt que rester dans une relation qui détruit sur le plan affectif, mental ou physique.

Un bon divorce est préférable à un mauvais mariage.

Je sais que vous êtes nombreux à être furieux contre moi, maintenant. Mais ne m'écrivez pas pour me le dire. Ne m'appelez pas non plus. Vous avez acheté ce livre pour savoir ce que je pense. Voilà, vous le savez. Si ça ne vous plaît pas, vous pouvez toujours rédiger votre propre ouvrage. D'ailleurs, si vous me trouvez choquant, vous n'avez encore rien vu.

À ce titre, voici une pensée que vous pourrez méditer :

« Ce que vous ne voulez pas entendre est ce que vous avez le plus besoin d'entendre. »

– Dr Robert Anthony

L'INDIVIDUALITÉ

Le phénomène de fusion est fréquent au sein du couple. Chacun perd son individualité et devient une moitié faible qui se cherche à travers l'autre. Le reste de l'univers se met de la partie et ne voient plus deux individus, mais bien une seule entité. Le « je » devient « nous », le « il » et le « elle » deviennent « eux ». Certains trouvent cette osmose charmante, moi je trouve ça pathétique.

Le syndrome des frères siamois en est une variante. Comme s'ils étaient rattachés par la tête, les deux partenaires ne semblent plus capables de penser seuls. Ils ne portent plus rien, ne mangent plus rien, n'écoutent plus rien, ne font plus rien sans vérifier auprès de leur « tendre moitié ».

Puis, soudain, un événement quelconque se produit, et cette entité – ce « nous » – ne sait plus où elle en est ni qui elle est. Pas étonnant : chacun a abandonné sa personnalité en cours de route.

Veillez donc à maintenir votre individualité. Restez qui vous êtes et développez une forte personnalité. Votre couple ne s'en portera que mieux. Donnez-vous de l'espace l'un l'autre. Permettez-vous d'avoir des goûts, des intérêts et des amis distincts.

**« Plus vous donnez de l'espace à une relation,
plus elle s'épanouira. »**
– Dr Wayne Dyer

Un jour que je revenais de Las Vegas, j'ai fait la connaissance d'un très vieux couple assis à côté de moi dans l'avion. Je venais de taper la phrase « Un bon divorce est préférable à un mauvais mariage » sur mon ordinateur portatif. Manifestement, l'homme lisait par-dessus mon épaule, car il m'a dit : «Ça, c'est bien vrai!» Il s'est présenté et m'a présenté sa femme. Mariés depuis 62 ans, G. R. et Ethyl Griffin venaient de passer une semaine à Las Vegas; ils avaient joué, assisté à des spectacles, mangé au restaurant. Ils étaient vraiment marrants. J'ai fini par leur demander comment ils avaient fait pour rester ensemble si longtemps et s'entendre encore si bien. «Il faut laisser l'autre être ce qu'il est et le tolérer, m'a répondu Ethyl. Après avoir passé 62 ans côte à côte, il y a plein de choses que nous n'aimons pas chez l'autre, mais nous nous aimons assez pour les tolérer.» Voilà un principe que tout couple devrait mettre en application. Toute une flopée de livres sur les relations conjugales et le mariage ont été écrits à partir d'idées beaucoup moins sensées.

Si vous êtes en couple, vous avez sans doute une idée assez précise de la façon dont votre partenaire devrait se conduire. Mais ça n'a probablement aucun effet sur son comportement. Les gens font rarement ce qu'on voudrait qu'ils fassent, sont rarement ce que l'on voudrait qu'ils soient. (Ça m'a d'ailleurs souvent embêté.) Les gens sont ce qu'ils sont. Rien de plus, rien de moins. Alors fermez-la, arrêtez de vous plaindre et pratiquez la tolérance.

Récemment, quelqu'un m'a demandé ce que j'aimais le plus de ma femme Rose Mary. Bonne question, hein? Après y avoir réfléchi, j'en suis venu à la conclusion que c'est son amour. Croyez-le ou non, ce n'est pas facile de m'aimer, et la plupart des gens n'y arrivent pas. Je suis difficile à vivre, tapageur, détestable, intolérant, exigeant, caustique, sarcastique, impatient, perfectionniste, bizarre. Et ce sont là mes qualités. Or, Rose Mary m'aime tel que je suis. Elle réussit à passer outre à mes mauvais côtés et à ne voir que les bons. Que demander de plus?

« Le secret d'un mariage heureux reste un secret. **»**

– Henny Youngman

LA COMPATIBILITÉ

On dit souvent que les contraires s'attirent. Si c'est vrai des aimants, ça l'est moins des gens. Pour former un couple, deux personnes doivent avoir beaucoup de choses en commun et partager les mêmes intérêts. Sinon, elles se lasseront rapidement l'une de l'autre, s'énerveront, se trouveront mutuellement ennuyeuses et en viendront à se détester.

Je crois que c'est la raison pour laquelle tant de couples divorcent une fois les enfants partis. Sans leur progéniture, les deux individus se retrouvent l'un en face de l'autre, dans toutes leurs différences.

> **« Tu as intérêt à aimer tout ce que ta femme ou ton homme aime. Si ton partenaire va à l'église, tu ferais mieux d'y aller toi aussi. S'il est accro au crack, tu ferais mieux de l'être aussi. Autrement, ça ne marchera pas. »**
>
> **– Chris Rock**

Vous connaissez sans doute des couples dont les partenaires ont l'air de s'entendre à merveille malgré leurs différences. C'est que, dans le fond, ils ont plein d'affinités. C'est notre cas, à Rose Mary et moi. Les gens sont surpris de nous voir ensemble. Elle est douce, gentille, liante, paisible, et tout le monde l'adore, alors que je suis tout le contraire. Pourtant, nous avons plein de choses en commun. Nous aimons la même architecture, les mêmes films, les mêmes restaurants et les mêmes personnes ; nous adorons magasiner, voyager, lire, faire la cuisine, décorer. Malgré nos personnalités pratiquement opposées, nous partageons environ 90 % de nos intérêts. (Par-dessus tout, nous sommes amoureux du même homme.)

Pourtant, très peu de couples ont *tout* en commun. La parfaite compatibilité est irréaliste et, à mon avis, peu souhaitable. Toute relation a son lot de différences inconciliables. L'un aime voyager tandis que l'autre est casanier. L'un est un lève-tôt, l'autre un oiseau de nuit. L'un est sociable, alors l'autre préfère vivre en ermite. L'un aime les antiquités, l'autre les meubles contemporains. Réfléchissez à votre propre relation. Êtes-vous compatibles dans tous les secteurs ? J'en doute. Certaines de vos différences sont-elles inconciliables ? J'en suis certain.

Il y a quand même des secteurs plus délicats que d'autres. Si vous ne vous entendez pas sur la façon de répondre à certains de vos besoins mutuels, vous risquez d'avoir des problèmes. Dans cette perspective, sachez que si votre partenaire ne comble pas ses besoins sexuels ou ses besoins de romantisme à la maison, il ira ailleurs afin d'éviter la frustration et la contrariété. Mais si vos incompatibilités ne sont pas de cet ordre, elles sont gérables.

Mon épouse est une lève-tôt. Dès qu'elle ouvre les yeux, elle est tout à fait réveillée, prête à se lever et à parler. Elle se précipite hors du lit, se prépare un petit-déjeuner santé, regarde le soleil se lever, écoute les oiseaux chanter, prépare le café, passe une heure à lire le journal, puis va faire de l'exercice. Moi, par contre, je ne me lève pas avant neuf heures, neuf heures trente. Je me traîne à moitié endormi jusqu'à la cuisine, où je me verse une énorme tasse de café bien chaud. Je regarde la télévision jusqu'à dix heures trente, onze heures. Puis je m'empiffre d'œufs et de bacon. L'exercice, ça n'ira pas avant le soir. Je vous garantis que nous ne nous rejoindrons jamais sur ce plan. C'est parfois ennuyeux, mais ce n'est pas une raison pour divorcer.

Bref, vous avez intérêt à vous débarrasser de vos œillères. Votre partenaire et vous voyez, faites et comprenez les choses différemment ? Ça vous rend mutuellement fous ? N'en faites pas tout un drame. Riez-en. Toute la maisonnée se moque de moi parce que je suis incapable de me lever tôt. Je m'en fous, je m'enfonce encore plus profondément sous les couvertures après avoir appuyé sur *snooze*. Nous faisons aussi beaucoup de blagues sur le besoin vital qu'a Rose Mary de voir le soleil se lever. Tout ce gaspillage de sommeil!

Ouvrez vos horizons! Les différences rendent la vie amusante, intéressante, passionnante!

LE BESOIN DE L'AUTRE

S'il est une chose que vous devez savoir pour entretenir de bonnes relations avec votre conjoint, vos amis, votre entourage, c'est que vous n'avez besoin de personne. Laissez-moi m'expliquer avant de me traiter de tous les noms.

Pendant très longtemps, j'ai eu beaucoup de besoins affectifs. Il me fallait de constants témoignages d'amour, d'appréciation, d'adoration. Ces exigences étaient enracinées dans des insécurités que je ne cessais de nourrir.

Ainsi, je réclamais toute l'attention et tout l'amour de mon épouse. Pour que je me sente bien, il fallait qu'elle me consacre son temps, son énergie et sa présence. Je me suis comporté de manière semblable avec mes fils. Ils habitaient avec leur mère, ma première femme, et comme je me sentais coupable de cette situation, je me suis mis à exiger qu'ils me prouvent leur amour. Je ne leur permettais pas de sauter une de mes visites pour voir leurs amis ou mener leur propre vie. Ces droits de visite m'avaient été accordés par le tribunal, je les méritais, je les voulais, je les prenais.

Et ce n'est pas tout. Il fallait que mes auditoires soient en adoration devant moi. C'est pourquoi, lors de mes conférences, je leur disais uniquement ce qu'ils voulaient – certainement pas ce que j'avais envie de leur dire et encore moins ce qui leur aurait été profitable.

De tels besoins affectifs étaient très destructeurs. J'ai failli ruiner mon mariage et mes relations avec mes fils, et j'ai trahi mes auditoires.

Au bout d'un certain temps, j'ai commencé à voir que mon attitude nous rendait malheureux, ma famille et moi. J'ai alors entrepris une démarche qui m'a amené à comprendre que je devais cesser de dépendre de l'approbation des autres, de leur capacité à flatter mon ego. Petit à petit, j'ai appris à assurer moi-même mon bonheur, à composer avec mes insécurités et, surtout, à ne compter que sur ma propre approbation. La satisfaction ne vient qu'à ceux qui ne cherchent pas à obtenir l'approbation d'autrui.

J'ai d'abord appliqué mes nouveaux principes dans le cadre de mes conférences. J'ai cessé de dire à mes auditoires ce qu'ils voulaient entendre. J'ai commencé à leur parler de ce qui me tenait à cœur sans me soucier de ce qu'ils penseraient de moi, sans rechercher leur approbation. Peu importe s'ils boudaient mes livres, mes cassettes et mes vidéos ou ne m'applaudissaient pas à tout rompre à la fin de mes présentations. J'ai cessé de vérifier à l'avance les sujets qu'ils voulaient que je traite – une pratique très répandue dans mon milieu. Autrement dit, j'ai cessé de donner *leur* conférence pour donner *la mienne*. Et vous savez quoi ? J'ai eu plus de succès que jamais. J'ai donné plus de conférences et mes honoraires sont montés en flèche.

Le fait est que je croyais désormais aux thèmes que j'abordais. Les gens ne prêtent pas nécessairement foi à ce que vous dites – en fait, très peu vont jusqu'à vous écouter –, mais ils entendent votre conviction, votre passion. L'authenticité est toujours convaincante, toujours récompensée. Or, j'étais devenu sincère.

De nombreux conférenciers ont mal réagi. Déconcertés par mon « détachement », ils croyaient que je manquais d'égard envers mes auditoires. Au contraire, je me souciais assez d'eux pour leur donner le meilleur de moi-même : ma véritable personnalité. J'avais simplement abandonné mon besoin de maîtriser leurs réactions. Je n'ai pas fait grand cas des critiques de mes confrères, car ce n'était pas eux qui retenaient mes services. De plus, le mieux que je pouvais faire était de leur donner l'exemple. Je leur ai montré que le véritable succès repose sur l'authenticité et qu'on ne livre la marchandise que si l'on est sincère.

**《 Ma plus grande erreur,
la faute que je ne me pardonnerai jamais,
c'est d'avoir un jour cessé
de poursuivre obstinément mon individualité. 》**
– Oscar Wilde

**《 La route de la vérité est longue,
et pavée de salauds ennuyeux. 》**
– Alexander Jablokov

Bill Gove, le premier président de la National Speakers Association, m'a dit un jour qu'on était responsable non pas *de* ses auditoires, mais *envers* ses auditoires. Judicieux conseil qui vaut pour tous les secteurs de la vie. On est tenu de donner aux autres le meilleur de soi-même, sans faire de compromis. Mais on n'est pas responsable de leur réaction. On n'y peut rien. Terry Cole-Whittaker a titré un de ses livres en ce sens : *ce que que vous pensez de moi, ce n'est pas de mes affaires.*

Après m'être détaché de mes auditoires, je me suis détaché de mes amis et de ma famille. Conséquemment, j'ai amélioré mes relations avec mes fils. J'ai cessé d'avoir besoin de contrôler leur emploi du temps, leurs activités et leurs pensées. J'ai appris à leur faire confiance et à célébrer leur individualité.

La tâche a été beaucoup moins facile avec mon épouse. Comment décider consciemment qu'on n'a plus besoin de son conjoint ? Ç'a été l'une des expériences les plus difficiles de mon existence. Ce retrait était pourtant absolument nécessaire à notre bonheur.

J'avais littéralement étouffé ma relation de couple par mon besoin d'approbation et d'adoration. J'avais tout pris à mon épouse, je l'avais épuisée, je lui avais volé son individualité. Puis, quand j'ai compris que je n'avais plus besoin de son approbation, il ne lui restait plus rien. C'était totalement injuste de ma part.

Contrairement à ce que la plupart des gens pensaient, nous n'avions pas une relation idéale. Nous étions très proches l'un de l'autre, par besoin et non par désir. Or, si le désir est fondé sur la volonté et le libre-arbitre, le besoin repose sur le manque et la peur. S'il est agréable d'être désiré, c'est un fardeau d'être indispensable.

Cela me ramène à une idée dont j'ai traité dans la section sur l'individualité. Les partenaires qui ont un besoin vital l'un de l'autre sont des handicapés affectifs. Chacun pense que l'autre peut le compléter – une idée absurde véhiculée entre autres par les films populaires. On ne peut être complété par personne d'autre que soi-même. Et seule une personne qui se voit comme un être complet est assez forte, autonome, confiante pour s'unir à un autre être complet afin de créer une relation saine, complète.

> **« On n'a pas une relation avec quelqu'un pour se compléter mais bien pour partager son autonomie. »**
>
> - Neale Donald Walsch,
> *Conversations avec Dieu*, Tome 1

La confiance en soi et l'indépendance sont attirantes.

Lorsque mon épouse se regarde dans le miroir et redresse les épaules de fierté, je remuerais ciel et terre pour elle. Mais, en revanche, lorsqu'elle a besoin d'attention, qu'elle est collante, effacée, sceptique et faible, j'ai envie de m'enfuir. Il en va de même pour vous. Si vous recherchez l'amour parce que vous avez désespérément besoin de quelqu'un pour bien vous sentir dans votre peau, vous dégagerez une aura repoussante. Mais si vous vous affranchissez de ce besoin et que vous donnez l'amour, vous ne saurez plus où donner de la tête tellement il y aura d'amour autour de vous.

« Aimez-vous l'un l'autre mais ne faites pas de l'amour une alliance qui vous enchaîne l'un l'autre :

Que l'amour soit plutôt une mer qui se laisse bercer entre vos âmes, de rivages en rivages.

Emplissez chacun la coupe de l'autre, mais ne buvez pas à une seule et même coupe.

Partagez votre pain, mais du même morceau ne mangez point.

Chantez et dansez ensemble dans la joie, mais que chacun de vous soit seul,

Comme chacune des cordes du luth est seule alors qu'elles frémissent toutes sur la même mélodie.

Offrez l'un l'autre votre cœur, mais sans en devenir le possesseur.

Car seule la main de la Vie peut contenir vos cœurs.

Et dressez-vous côte à côte, mais pas trop près :

Car les piliers qui soutiennent le temple se dressent séparés,

Et le chêne ne s'élève pas dans l'ombre du cyprès. **»**

– Khalil Gibran,
Le Prophète

《 Amusez-vous de tout. N'ayez besoin de rien.
Le besoin tue la relation... Le plus beau cadeau
que vous puissiez donner à quelqu'un
est la force et le pouvoir de ne pas
avoir besoin de vous. **》**

– Neale Donald Walsch,
Conversations avec Dieu, Tome 2

《 L'amour, ce sont deux solitudes qui se protègent,
qui se touchent et qui se saluent. **》**

– Rainer Maria Rilke

La grande contradiction. Maintenant, laissez-moi brouiller les cartes. Vous n'avez besoin de personne pour être heureux, mais vous ne serez jamais parfaitement heureux sans les autres. C'est la grande contradiction de la vie.

Personne ne réussit seul ou n'est vraiment heureux seul. Nous sommes sur Terre pour nous aimer les uns les autres, nous disputer et nous amuser ensemble. Nous devons donc trouver un terrain d'entente. C'est tout un défi à relever. Je ne sais pas encore tout à fait comment y arriver. Mais j'ai quelques idées qui fonctionnent.

LE PARDON

On ne peut pas vivre à deux en parfaite harmonie 24 heures sur 24. Ce serait naïf de le croire. Mais que faire en cas d'affront, d'outrage, d'offense ? Apparemment, il faut pardonner et oublier. Moi, je suis peut-être capable de pardonner, mais pas d'oublier – ce qui après tout signifie que je n'ai pas vraiment pardonné. En effet, je suis rancunier. J'entretiens mon ressentiment. Pas très brillant, n'est-ce pas? Et certainement contraire à tout ce que je préconise dans ce livre. Mais au moins je suis honnête.

D'ailleurs, je crois que nous avons tous de la difficulté à pardonner.

Une promesse stupide. Rose Mary et moi avions déjà connu le mariage avant de nous rencontrer. Parfois, il faut avoir vécu une première expérience conjugale pour savoir ce qu'on peut et ne peut pas accepter de la vie à deux. Est-ce obligatoire? Je l'ignore, mais il me semble que les deuxièmes mariages sont plus durables. Il faut dire que les gens ont tendance à s'embarquer très jeunes dans cette aventure. Franchement, croyez-vous qu'une personne de 21 ans est en mesure de prendre une décision qui influencera toute son existence? Non? Moi non plus. Je pense qu'il faut avoir une certaine expérience de la vie pour bien choisir son partenaire.

Lorsque j'ai épousé Rose Mary, j'ai fait graver la phrase «Je prendrai toujours soin de toi» à l'intérieur de son alliance. Romantique, n'est-ce pas? Mais je dois admettre que 15 ans plus tard, j'ai cafouillé et je l'ai fait souffrir. Vous aurez beau me traiter de pécheur, d'infidèle, d'adultère, de débauché, vous ne saurez pas ce que j'ai fait ni pourquoi j'ai agi ainsi. Ce n'est pas de vos affaires. Il vous suffit de savoir que c'est arrivé et qu'à ce moment, j'ai failli à ma promesse de toujours prendre soin de mon épouse.

Nous avons traversé cette épreuve. De justesse. Ç'a été horrible. Il nous a fallu aller en thérapie pendant des années. Nous avons pleuré, nous avons crié, nous nous sommes détestés. Mais nous avons fini par admettre que nous nous aimions trop pour nous séparer. Et nous nous sommes débrouillés pour ramener notre relation dans le droit chemin.

Au plus fort de la crise, Rose Mary a enlevé son alliance. Elle n'avait plus confiance en moi. Elle était en train d'apprendre à la dure qu'on ne peut se fier à personne d'autre pour prendre soin de soi. On est responsable de son propre bonheur. Croyez-en mon expérience, personne ne peut être heureux à votre place. Alors apprenez à le devenir par vous-même.

Arrivés à un point tournant de notre thérapie, nous avons compris que tout n'était pas perdu et que nous pouvions sauver notre mariage. J'ai alors pris l'alliance que Rose Mary avait rangée dans un tiroir, et je l'ai apportée chez le bijoutier pour faire remplacer ma phrase irréaliste par l'inscription : « Amour. Honneur. Respect. » C'était, selon moi, ce qu'on pouvait offrir de plus à autrui – qu'il s'agisse de son conjoint, d'un ami, d'un parent, d'un collègue, ou de qui que ce soit.

> Je t'aime assez pour te souhaiter le meilleur et te donner le meilleur de moi-même.
>
> Je t'honore assez pour être honnête avec toi, de donner de mon temps avec toi et te montrer ma vulnérabilité en t'offrant le meilleur de moi-même.
>
> Je te respecte assez pour te tenir en haute estime, sans jamais minimiser qui tu es ou notre relation.

Le pardon n'est pas facile. Pendant notre épreuve, au beau milieu de la tourmente, ç'a été au tour de Rose Mary de cafouiller. Oh que j'ai été en colère ! Oh que j'ai été blessé ! Je l'avais suppliée de me pardonner et elle avait fini par le faire, mais moi j'étais incapable de lui rendre la pareille. J'ai essayé, mais en vain. Je détestais ce qu'elle m'avait fait.

Pourtant, le pardon était un acte que je connaissais. J'avais lu sur ce sujet. Je l'avais même abordé dans mes autres livres. En théorie, c'était facile pour moi de traiter de la liberté qui vient avec le pardon. En pratique, c'était une autre histoire. Le pardon, c'était pour les autres, pour ceux qui avaient souffert moins que moi. Leurs problèmes étaient insignifiants comparés aux miens ! Quel hypocrite j'étais !

J'ai rendu la vie infernale à Rose Mary. Je lui rappelais constamment son erreur pour qu'elle n'oublie pas de culpabiliser. Je justifiais chaque mauvaise action de ma part en la mesurant à l'aune de ce qu'elle m'avait fait. Par ailleurs, ma colère, ma rancune et mon ressentiment me déchiraient littéralement. Nous nous enlisions dans le malheur.

Elle a eu beau s'excuser, me prouver à quel point elle était désolée, faire tout ce qu'il était humainement possible de faire pour réparer les pots cassés, ce n'était pas assez pour moi. Je voulais qu'elle *mérite* le pardon. Mais, dans le fond, je ne croyais pas qu'elle le méritait.

Puis j'ai lu dans *Les quatre accords toltèques* de Don Miguel Ruiz un passage sur le pardon qui a fini par me faire avancer. Parfois, selon Ruiz, une personne qui nous a offensé ne mérite pas vraiment notre pardon, mais nous lui pardonnons quand même parce que *nous* le méritons. C'était tout à fait ce que j'avais besoin d'entendre, car j'ai toujours été convaincu que je méritais ce qu'il y avait de mieux dans la vie.

J'ai donc fini par pardonner sa faute à Rose Mary parce que je méritais de me libérer de la tristesse, de la colère et du ressentiment, et parce que je méritais de vivre une relation heureuse. Pour cela, il a fallu que j'abandonne la rancune et la rancœur. Je lui ai pardonné non pas par grandeur d'âme, mais parce que j'avais désespérément besoin d'aller de l'avant et qu'il me fallait atteindre un état de liberté que seule une relation basée sur la confiance, l'amour et l'ouverture peut donner.

Avez-vous déjà été blessé, offensé par votre conjoint ? C'est fort probable. Si vous entretenez de la colère, du ressentiment et de la rancune à son égard, laissez aller, pardonnez. Non pas parce qu'il le mérite – peut-être ne le mérite-t-il pas – mais parce que *vous* le méritez.

Facile ? Pas du tout. Nécessaire ? Absolument.

LA LIBERTÉ

« L'amour est liberté. L'attachement est exclusif. Or, l'amour est inclusif. L'attachement nous prive donc de l'amour. L'attachement est esclavage, il est exigeant. Or, l'amour n'a aucune exigence. »

– Deepak Chopra

Pour la plupart des gens, les relations – et particulièrement le mariage – sont fondées sur un engagement incompatible avec la liberté. Ils pensent qu'engagement et liberté s'excluent mutuellement. Au contraire, je crois qu'ils sont indispensables l'un à l'autre. J'irais même jusqu'à dire qu'on ne peut s'engager sérieusement sans se sentir libre.

La liberté d'être seul. On a tous besoin de solitude. Il faut avoir du temps pour faire des activités sans craindre d'ennuyer son conjoint. Il faut pouvoir sortir chacun de son côté en toute impunité. J'ai la chance d'exercer un métier qui me permet de passer beaucoup de temps seul. Parfois, je suis vraiment content de me retrouver avec moi-même dans ma chambre d'hôtel et de dîner en regardant un film stupide sans me faire déranger par ma femme, mon chien ou mon chat. Je ferme mon téléphone cellulaire et je m'isole du reste du monde pendant quelques heures. Ça ne fait pas de moi un égoïste pour autant. Ça signifie simplement que j'aime bien avoir du temps juste pour moi.

Rose Mary adore aller à des dégustations de vin et discuter avec d'autres amateurs. Ce n'est pas du tout dans mes cordes. Elle s'y rend donc sans moi et s'amuse beaucoup. En fait, elle ne veut pas que je l'accompagne ; c'est une activité qu'elle préfère franchement faire seule.

Comme je l'ai mentionné plus haut, Rose Mary se lève tôt et lit tranquillement le journal. J'aime me coucher tard et regarder la télévision. Je sais que je la dérange si je me lève plus tôt, et je ne suis pas du tout enchanté si elle décide de regarder la télévision avec moi le soir.

Rose Mary et moi passons beaucoup de temps ensemble, mais nous apprécions aussi ces moments de solitude. Je vous encourage à explorer et à profiter de la solitude. C'est essentiel pour vous en tant qu'individu, et c'est très sain pour votre relation de couple.

La liberté d'être ensemble. Les vœux du mariage *obligent* les partenaires à tenir l'un à l'autre. Mais peut-on vraiment forcer deux personnes à passer du temps ensemble, à s'aimer ? De façon générale, l'être humain est allergique aux obligations. Elles le mènent souvent au ressentiment. Qui veut éprouver du ressentiment pour la personne avec qui il a choisi de passer sa vie ? Certainement pas moi. Rose Mary et moi sommes ensemble parce que nous le voulons. Nous avons traversé beaucoup trop d'épreuves pour nous sentir obligés à quoi que ce soit. Nous sommes bien ensemble.

La liberté d'aimer les autres. Nous devons nous sentir libres d'aimer et d'exprimer notre amour. On ne devrait jamais retenir l'amour. C'est toujours un sentiment adéquat. L'amour est pur. L'amour est Dieu.

Comprenez-moi bien. Je ne suis pas en train de parler d'infidélité. Ôtez-vous cette idée de la tête. Il est simplement question d'aimer d'autres gens. C'est naturel.

Ma femme compte de nombreux hommes parmi ses amis. Elle les connaît depuis longtemps, a travaillé avec eux pendant plusieurs années et les voit assez régulièrement, sans que j'éprouve la moindre jalousie. Je sais qu'ils ne menacent en rien notre mariage, car celui-ci est basé sur la confiance.

Mes meilleurs amis sont des femmes. Je ne suis aucunement attiré sexuellement par elles, bien je ne leur témoigne beaucoup d'affection. Rose Mary n'est pas plus jalouse que je ne le suis et n'a aucune raison de l'être. Nous aimons tous ces gens, ils font partie de nos vies, mais nous ne sommes *en amour* que l'un avec l'autre.

La jalousie est une émotion destructrice, qui naît d'un manque d'estime de soi et de confiance en l'autre, et qui repose sur la peur. Si vous connaissez la jalousie, abandonnez-la avant qu'elle ne démolisse votre relation.

《 Il y a beaucoup plus d'amour-propre
que d'amour dans la jalousie. 》
– François VI, duc de la Rochefoucauld

《 La jalousie, ce dragon qui tue l'amour
sous prétexte de le garder en vie. 》
– Havelock Ellis

《 Lorsque vous offrez l'amour
sans demander rien en retour,
vous créez des relations miraculeuses. 》
– Dr Wayne Dyer

LA CONFIANCE

Une fois que la confiance est brisée au sein d'une relation, je ne crois pas qu'on puisse revenir en arrière. Il faut repartir à zéro. C'est ce qui nous est arrivé, à Rose Mary et moi. Après avoir cafouillé chacun de notre côté, nous n'avons plus été les mêmes personnes et avons dû bâtir une nouvelle relation, fondée sur un nouvel engagement et une nouvelle confiance. L'ancienne confiance ne fonctionnait plus.

La confiance n'est pas l'apanage du mariage, elle doit aussi régner entre parents et enfants, frères et sœurs, patron et employés, sociétés et actionnaires, amis, collègues. Quelle que soit la nature de la relation, celle-ci sera altérée pour toujours si la confiance est trahie.

Alors, avant de mentir, de voler, de tromper, de répandre une rumeur, de médire ou de décevoir inutilement, sachez donc que vos actes seront définitifs et que vous devrez en assumer les conséquences. Vous ne pourrez rien réparer. Vous devrez tout recommencer.

LA COMMUNICATION

Pour certains, la communication est une rencontre à mi-chemin. Je veux bien, mais que se passe-t-il si vous faites votre moitié de chemin et que l'autre ne fait que le quart du chemin ? Que se passe-t-il si vous parcourez tout le chemin et qu'au bout, vous voyez l'autre vous tourner le dos ? À mon sens, pour communiquer véritablement, il faut non pas arrêter à mi-chemin, non pas se rendre jusqu'au bout, mais bien aller aussi loin que nécessaire.

Pour établir, maintenir ou raviver une relation, vous avez intérêt à parler et à insister pour discuter même si c'est douloureux. Au cœur d'un conflit, il est parfois tentant de s'enfermer dans le silence, mais, croyez-moi, une telle attitude n'est jamais profitable. Il vaut mieux composer avec le problème. Mais si le mutisme est devenu l'option la plus confortable pour vous, c'est peut-être que vous vous êtes irrémédiablement éloigné de votre partenaire.

LES DÉSACCORDS ET LES DISPUTES

Il n'y a pas de relation sans désaccord. Tant mieux ! Un couple qui ne se dispute jamais ne fait que tourner autour du pot. « Si deux personnes sont toujours d'accord, c'est qu'il y en a une de trop. » Je ne sais pas qui a dit cela, mais je trouve cette affirmation tout à fait juste.

> **« Presque tous les couples se disputent,
> même s'ils n'osent pas l'admettre.
> En fait, un mariage exempt de querelle est soit mort,
> soit en train de mourir de malnutrition affective.
> Si vous vous aimez, il y a de fortes chances
> que vous vous disputiez. »**
> – Flora Davis

À mon avis, les ménages où personne n'élève jamais la voix sont très ennuyeux. Moi, je suis un passionné et, à l'inverse de Rose Mary, j'adore me disputer. Je crie et elle me répond avec un calme et une logique qui m'enragent encore plus. En fait, elle préfèrerait ne pas exprimer sa colère et se passerait bien de nos échanges mordants. Pendant des années, elle a fui la confrontation, car c'est ainsi qu'elle a été élevée. Dans ma famille, en revanche, nous nous engueulions tout le temps, sans nous en tenir rigueur.

Il m'a fallu beaucoup de temps pour convaincre ma femme qu'un conflit n'est pas une manifestation de haine, bien au contraire. Il prouve que nous nous aimons assez pour nous exprimer sans crainte et en toute honnêteté, et que nous sommes capables de traiter les choses à fond. Rose Mary a donc appris à se quereller avec moi.

Je vous conseille de ne pas réprimer votre colère au point de la laisser se transformer en ressentiment. Exprimez-vous. Votre conjoint et vous, composez avec vos mésententes. Disputez-vous, puis réconciliez-vous. (Il arrive parfois qu'on a tellement de plaisir à se raccommoder qu'on a envie de recommencer à se disputer!)

Mais n'oubliez pas que, pour réussir une querelle, celle-ci doit porter sur un *événement* ou une *action,* non sur la *personne* avec qui vous vous disputez. Évitez les insultes et les attaques personnelles. Elles ne feront que miner votre relation. Même si vous vous disputez à cause de ce que votre partenaire a fait, abstenez-vous de critiquer ce qu'il est.

LE ROMANTISME ET LA PASSION

Autant les hommes que les femmes apprécient le romantisme et en ont besoin. Je vous conseille donc de devenir romantique. Moi-même, je suis très compétent en la matière. Comment je m'y prends? Je suis attentif. C'est vraiment tout ce qui compte. Observez votre partenaire, découvrez ce qu'il apprécie et arrangez-vous pour le lui donner. Vous n'avez pas à soulever des montagnes. D'après mon expérience, ce sont les détails qui font le plus plaisir.

Et ne me dites pas que vous êtes incapable de romantisme. Ne laissez pas la personne que vous avez été retenir la personne que vous devez devenir.

**《 L'amour peut prendre différentes formes :
énorme montagne, joli jardin, tempête féroce,
brise fraîche, bain bien chaud.
Mais il n'est jamais loin du feu.
Pour qu'il y ait de l'amour, il doit y avoir de l'ardeur.
Votre relation peut avoir l'air « réussie »,
mais si elle ne vous transporte pas,
si elle ne vous étreint pas le cœur,
si elle ne peut pas le faire éclater
en mille morceaux qu'on peut recoller
en un instant, ce n'est qu'une relation conformiste,
ce n'est certainement pas de l'amour. 》**

– Marianne Williamson,
Enchanted Love

LE TOUCHER

Le contact physique favorise l'épanouissement. Les bébés qui ont été caressés et dorlotés se développent beaucoup mieux sur les plans intellectuel et affectif. Il en va de même des adultes. Des conjoints qui ne se touchent pas ne donnent pas beaucoup de chance à leur relation.

Lorsque Rose Mary et moi étions en thérapie, nous avons été amenés à faire un exercice intéressant : nous nous touchions – même si ce n'était que le bout d'un doigt – pendant que nous nous disputions. Ce contact physique nous permettait de rester connectés même si pratiquement tous nos autres liens étaient détruits.

Touchez votre partenaire, étreignez-le, embrassez-le, caressez-le. Pourquoi les gens se serrent-ils la main lorsqu'ils se rencontrent pour la première fois ? Pourquoi le baiser est-il le premier geste des nouveaux mariés ? Parce que le contact physique entraîne un échange d'énergie salutaire qui permet à la relation de se développer, de s'épanouir. C'est d'ailleurs la première chose qui disparaît quand la relation a du plomb dans l'aile.

COMMENT DEVENIR UN MEILLEUR CONJOINT

Dressez la liste de tout ce qui vous plaît chez votre conjoint. Soyez très précis. Chaque jour, faites-lui part d'un élément.

Dressez une autre liste des qualités du conjoint idéal. Lorsque vous serez devenu ce type de personne, vous aurez le conjoint que vous souhaitez.

Écrivez des petits mots à votre conjoint pour lui dire à quel point et pourquoi vous l'aimez.

Trouvez le moyen de rire ensemble.

Embrassez-vous plus souvent, rouspétez moins.

Débarrassez-vous de vos œillères. N'ayez pas l'esprit mesquin. Ne l'emmerdez pas parce qu'il n'a pas rebouché le tube de dentifrice.

Traitez votre conjoint avec le respect dont vous faites preuve à l'égard des étrangers.

Réalisez ses fantasmes de temps en temps.

Faites quelque chose d'inattendu.

L'AMITIÉ

On ne choisit pas sa famille. Peu importe ce qu'on pense de ses parents, frères, sœurs, cousins, etc., on est forcé d'entretenir un minimum de relations avec eux. Il en va tout autrement des amis. On n'est pas obligé d'en avoir. L'amitié est à peu près la seule relation que l'on est libre de cultiver.

Ce sentiment devrait aller de soi. S'il faut travailler pour entretenir une amitié, c'est qu'elle n'en est pas vraiment une. Vos amis devraient vous accepter tel que vous êtes, avec vos bons et vos mauvais côtés. Ils devraient vous laisser vous tourner en ridicule si c'est ce que vous voulez, mais ils ne devraient jamais vous permettre de vous plaindre. Un véritable ami vous secouera et vous forcera à assumer vos responsabilités.

Vous n'avez pas besoin de beaucoup d'amis. Je n'ai jamais eu le problème d'avoir trop d'amis : les gens ne s'entendent pas facilement avec moi. Il faut vraiment vouloir être mon ami pour le devenir, ce que j'apprécie au plus haut point. J'adore mes amis et je ferais n'importe quoi pour les aider, sans les juger, sans leur demander de se justifier.

Certains considèrent que la relation conjugale ne devrait pas demander plus d'effort que l'amitié. Je ne suis pas de cet avis. Entre Rose Mary et moi, l'amitié coule de source, mais chaque jour, nous travaillons pour entretenir notre mariage. Si parfois notre relation conjugale est un véritable désastre, notre amitié reste toujours intacte.

Je crois qu'il vaut mieux avoir un bon ami qu'un bon conjoint. Mais si vous avez trouvé les deux dans la même personne, vous êtes béni des dieux.

Chapitre 16

Les enfants, quels casse-pieds !

Les enfants sont égoïstes, exigeants, sales, désordonnés et ruineux. Tant qu'ils vivent sous votre toit, vous ne pouvez rien faire parce que vous devez toujours être disponible pour aller les conduire quelque part. Et si vous leur prêtez votre voiture, ce sera à vos risques et périls, car ils risquent de vous la bousiller, sans parler de votre maison et de tout autre objet auquel vous tenez.

Cela dit, c'est chouette d'être parent. Les enfants sont de petites créatures fantastiques. Toujours prêts à s'amuser, ils mangent lorsqu'ils ont faim, dorment lorsqu'ils sont fatigués et vous aiment inconditionnellement. En échange, vous en êtes totalement responsable et devez tout leur apprendre.

Ce n'est pas leur faute

Certains enfants me rendent cinglé ! Vous savez, les petits monstres qui crient comme des damnés, qui courent partout dans les centres commerciaux et les restaurants, qui lancent leur nourriture par terre, bref, qui se conduisent tellement mal qu'on a envie d'intervenir, de les secouer, de leur donner la fessée. Or, ce ne sont pas eux, les responsables. Il n'y a pas de mauvais enfants, il n'y a que de mauvais parents. Ce ne sont pas les petits qu'il faut réprimander, mais les adultes qui les ont (mal) élevés.

Les enfants ne font que ce qu'on leur permet de faire – ni plus ni moins. Bien entendu, comme ils sont en train de grandir, ils essaient constamment de repousser leurs limites. Mais c'est aux parents de voir à ce qu'ils respectent certaines limites et de les punir s'ils les dépassent.

La discipline est incontournable

Parents, si vous aimez vos enfants, vous devez voir à ce qu'ils vous obéissent. Un manque de discipline est un manque d'amour. Je n'ai pas à me prononcer sur les moyens que vous prenez pour y arriver, et si vous avez besoin de conseils précis, je vous recommande de vous adresser à des gens qualifiés. Je sais toutefois que vous devez faire preuve de cohérence et veiller à ce que la punition soit proportionnelle à la faute. Et, de grâce, réprimandez vos enfants en privé. Ne leur criez pas après devant tout le monde. C'est gênant pour eux, pour vous, pour nous.

«Attends d'être à la maison», me disait mon père lorsque je me comportais comme un idiot. Ça voulait dire qu'il allait me frapper avec sa ceinture. Ça n'arrivait pas souvent, mais je ne l'oubliais pas de sitôt. Je me rappelle qu'il m'a ainsi menacé le premier jour des vacances. Nous sommes rentrés à la maison deux semaines plus tard, et j'ai eu droit à ma correction même s'il n'en avait soufflé mot du reste de notre séjour.

J'ai tiré une importante leçon de ce genre de punition. Au-delà de la semonce comme telle, j'ai appris que la parole de mon père était sacrée et que je pouvais compter sur lui. Je n'ai certainement pas apprécié ses coups de ceinture, mais rétrospectivement, je lui suis reconnaissant de m'avoir enseigné qu'une promesse est une promesse, peu importe ce sur quoi elle porte. J'ai essayé de transmettre cela à mes enfants.

Le poids des mots

Quand mes fils étaient enfants, je jouais à un jeu stupide avec eux. L'un de nous demandait aux deux autres à quel prix ils feraient une chose bizarre ou dégueulasse, comme par exemple avaler un ver ou arracher la tête d'un poulet. Mon chiffre était toujours inférieur au leur ; pas étonnant, je connais la valeur de l'argent (et, après tout, avaler un ver ne doit pas être si terrible).

Un jour que nous promenions nos chiens, Elvis et Nixon, j'ai lancé un de ces défis à Tyler, qui avait alors neuf ans. « Qu'est-ce que ça te prendrait pour avaler un biscuit pour chien ? » lui ai-je demandé. « J'en mangerais un si tu en mangeais un d'abord », m'a-t-il répondu. J'en ai immédiatement mis un dans ma bouche, je l'ai mâché, je l'ai avalé avec un sourire, puis je lui en ai tendu un. Mais il ne voulait pas l'avaler. « C'était juste une blague ! » a-t-il dit.

Mon fils a tiré deux importantes leçons de cette expérience. Il a d'abord appris qu'une entente est une entente. Je lui ai fait clairement comprendre qu'il avait lui-même fixé les règles du jeu et qu'il devait les respecter. Nous sommes restés dans la rue pendant un bon moment : j'attendais qu'il s'exécute, alors qu'il essayait de se défiler en répétant que ce n'était pas vraiment ce qu'il avait voulu dire. Je lui ai alors enseigné sa deuxième leçon. Il ne devait jamais dire des paroles en l'air. Il a compris que nous y passerions la nuit si nécessaire, mais qu'il devait manger le fameux biscuit. Ce qu'il a fini par faire – à contrecœur.

Certains diront que j'ai été beaucoup trop sévère avec Tyler. Je pense plutôt que cet incident a eu une influence bénéfique et décisive sur sa vie. Contrairement à bien des gens, il sait vraiment ce qu'est une entente. Aujourd'hui, nous en rions et il aime bien raconter aux gens tout ce que son père lui a appris en lui faisant manger un biscuit pour chien.

Et vous, qu'avez-vous inculqué à vos enfants ? Qu'il vaut mieux écouter la télé que discuter ? Qu'on peut frauder le fisc parce que, après tout, c'est seulement le gouvernement, pas vraiment une personne ? Qu'on peut mépriser ses employés et calomnier ses amis ? Qu'on peut traiter son conjoint comme de la merde ? Vos enfants incarnent littéralement les leçons que vous leur avez transmises. Et souvent, vos actions sont plus éloquentes que vos paroles.

En ce qui me concerne, j'ai expliqué à mes enfants ce qu'étaient un bon hamburger et un bon barbecue, et je leur ai révélé qu'Elvis était le *King*. Le reste, ils l'ont appris en me regardant agir. Tyler, l'aîné, sait prendre ses responsabilités. Quand il fait une erreur, il l'admet et la corrige. Pour sa part, Patrick, le benjamin, a découvert son caractère unique, assumé ses différences et développé sa confiance en lui. Tous les deux sont très honnêtes. Ils ne mentent jamais et disent toujours le fond de leur pensée. Ce sont des gens sur qui on peut compter.

Il n'est pas facile d'éduquer des enfants. C'est une lourde et terrifiante responsabilité. À mon sens, c'est la tâche la plus difficile qu'on puisse confier à un être humain. Je ne connais pas tout ce qu'il faut faire pour être un bon parent, mais j'ai quelques idées.

Ça finit par leur passer

J'aurais aimé qu'un parent plus expérimenté que moi me dise cela quand je m'inquiétais pour mes fils. Patrick a eu son époque de perçage corporel. Il avait de la quincaillerie partout : oreilles, nez, langue, nombril, sourcils, mamelons. Je détestais ça, mais je n'ai pas fait de commentaire. D'ailleurs, j'étais mal placé pour dire quoi que ce soit, car j'avais les oreilles percées. Puis, au bout de quelques mois, tout a disparu. Il s'est lassé de ce style. C'est souvent comme ça, avec les enfants. Ça va, ça vient. Et parfois, il vaut mieux se taire et laisser les choses suivre leur cours. Évidemment, je vous conseille d'intervenir si votre enfant se drogue, s'achète des armes ou met sa vie en danger.

Faites preuve de discernement. Ne montez pas au créneau pour la moindre vétille. Les trous de perçage se referment. Les cheveux mauves allongent et disparaissent sous le ciseau. Les vêtements beaucoup trop grands se démodent. La visière de la casquette revient à sa place. Les enfants s'humanisent. Dieu merci.

Et surtout, n'oubliez pas que plus vous protestez, plus vos enfants s'entêteront. Je crois qu'ils attendent juste que vous détestiez quelque chose pour se mettre à l'aimer. Ça les amuse. Et si vous décidez de jouer le jeu, sachez qu'ils sont beaucoup plus habiles que vous.

Intéressez-vous à ce qu'ils font

Tâchez de savoir ce qui se passe dans la vie de vos enfants. Apprenez à connaître leurs amis. Invitez-les chez vous. Oui, ils vandaliseront votre maison, mais il vaut mieux avoir une maison sens dessus dessous que des funérailles à organiser. Non, je ne dramatise pas. De nos jours, avec la drogue, les armes, les pédophiles et tout le reste, les choses peuvent rapidement tourner à la tragédie. Savoir ce qui se passe dans la vie de vos enfants, où ils vont et qui ils fréquentent est une façon de les protéger. Ne vous immiscez pas trop dans leurs affaires, mais restez autour – juste au cas où ils auraient besoin de vous.

Respectez leur vie privée

Respectez la vie privée de vos enfants. Ne lisez pas leurs courriels ou leur journal. Ne les espionnez pas. Autrement, ils vous en voudront et feront tout pour vous tenir dans l'ignorance. Pour être au courant de ce qui se passe dans leur vie, cherchez plutôt à établir avec eux une relation basée sur la franchise et la confiance.

Soyez cool, mais pas trop

Efforcez-vous d'être un parent avec qui les jeunes ont envie de parler, mais n'essayez pas d'être le meilleur ami de vos enfants ni de faire partie de leur bande. Mes fils et moi pouvons discuter ouvertement de n'importe quel sujet, mais je reste leur père.

Je trouve pathétique qu'un parent essaie de forcer l'amitié de ses enfants. Laissez les vôtres choisir leurs copains. Ne faites pas subir vos propres carences affectives à votre progéniture.

Faites preuve de réalisme

N'exigez pas la perfection de vos enfants. Vous ne l'obtiendrez pas. Surtout lorsqu'il est question de résultats scolaires. Il ne leur servira à rien d'avoir de bonnes notes s'ils doivent le payer de leur bien-être ou de leur équilibre psychologique. Demandez-leur de faire de leur mieux, aidez-les, puis apprenez-leur à être satisfaits de leurs résultats.

Les ados

L'adolescence est une telle anomalie qu'elle nécessite sa propre section. Arrogants, impolis, égocentriques, les ados sont assez déplaisants. Seul le temps en vient à bout.

Lorsque mon aîné a eu 16 ans, il s'est mis à m'affronter. Apparemment, il n'avait plus à m'obéir parce qu'il était plus grand que moi. Je lui ai rétorqué qu'il avait beau être plus grand, j'étais plus intelligent et je lui fournissais un toit et les vivres. Franchement, j'ai eu du mal à voir comment j'allais pouvoir l'endurer. Je l'aimais, mais il m'exaspérait au plus haut point.

Si vous avez des enfants, vous savez sans doute de quoi je parle. Sinon, ça ne saurait tarder. Peu de parents sortent indemnes de cette période où leurs enfants sécrètent d'énormes quantités de testostérone et d'œstrogènes en un très court laps de temps. Pas étonnant qu'ils soient stupides.

Heureusement que tout ça a une fin. Entre-temps, ne cessez pas de les aimer, tournez votre langue sept fois dans votre bouche, fermez la porte de leur chambre pour ne pas voir leur désordre et retenez-vous de les assassiner. L'adolescence de Tyler a duré six mois. Il a été chanceux, car il était moins une.

Et n'oubliez pas que vous avez été adolescent vous aussi, et que ça vous a passé (du moins je l'espère).

CONSEILS EN VRAC

⊙ Si vous avez de jeunes enfants, assoyez-vous souvent par terre pour leur parler. Autrement dit, mettez-vous à leur niveau.

⊙ Enseignez à vos enfants à gagner de l'argent, à épargner, à investir, à dépenser et à donner.

⊙ Posez plus de questions, parlez moins.

⊙ Montrez-vous plus affectueux et moins enquiquinant.

⊙ Embrassez-les même s'ils pensent qu'ils sont trop grands.

⊙ Montrez-leur le plus important : bonté, charité, amour, pardon, compassion, respect, honnêteté, responsabilité et plaisir.

⊙ Ne leur mentez jamais et ne tolérez pas qu'ils vous mentent.

⊙ N'essayez pas de façonner leur personnalité. Encouragez-les plutôt à développer leur individualité. Laissez-les être qui ils sont et devenir qui ils veulent et non pas qui *vous* voulez qu'ils deviennent.

⊙ Ne vous comportez pas comme un cinglé lors des compétitions sportives.

⊙ Ne les surprotégez pas. Laissez-les faire des erreurs et en assumer les conséquences. C'est ainsi qu'ils apprendront.

⊙ N'oubliez pas qu'ils ont plus besoin d'amour que d'objets.

Chapitre 17

Les bienfaits du sexe

**« Le sexe n'est pas une activité,
c'est une façon d'être. »**
– Mary Calderone

La sexualité est quelque chose de fantastique, mais la société américaine fait de son mieux pour la transformer en une sale bête honteuse. On essaie de la réglementer et de lui imposer des limites, mais ça ne marche pas. En réalité, plus on tente d'inhiber la sexualité, plus elle devient obsédante. Pourquoi ? Parce qu'on n'est pas censé la réfréner. Dieu a créé le sexe pour qu'on en profite. Rien n'est plus naturel.

C'est la répression sexuelle, et non l'expression sexuelle, qui est à l'origine de bien des malheurs : elle est source de criminalité et de culpabilité, elle détruit son lot de mariages et de relations, et elle fait vivre de nombreux psychologues, thérapeutes et écrivains.

Je sais qu'il y a des exceptions. Mais vous devez admettre qu'en général, j'ai raison. Pensez-y. Avez-vous déjà rencontré quelqu'un qui se plaignait d'avoir une vie sexuelle trop épanouie ? Souvenez-vous de ce qu'on disait dans les années 60 : faites l'amour, pas la guerre. (Je sais, je sais, certains d'entre vous n'étaient même pas nés, mais vous en avez entendu parler.) Vous savez quoi ? On avait raison ; il est pratiquement impossible de tuer quelqu'un quand on fait l'amour. Vous pensez que je suis en train de vous conseiller d'avoir des relations sexuelles avec n'importe qui. Mais non. Agissez de façon responsable.

> **« La sexualité est magique.
> Elle peut ancrer une relation
> mieux que toute autre
> activité ou discussion. »**
>
> – Thomas Moore,
> *Les âmes sœurs*

Le sexe est une bonne chose. C'est ce que nous devons nous dire chaque jour et c'est ce que nous devons enseigner à nos enfants. Et nous devons y goûter pleinement – sous toutes ses formes.

Je viens sans doute d'en scandaliser quelques-uns, ici. Je vous entends me dire que c'est interdit par la religion et par Dieu. De grâce, laissez Dieu en dehors de ça. Peu importe ce que vous croyez, il ne vous jugera pas. Alors aussi bien en jouir.

Le sexe avec votre partenaire de choix

Faites de votre sexualité quelque chose d'intéressant. Allez au *sex-shop* vous procurer quelques objets ou appareils. Utilisez de la crème fouettée, de l'huile de massage, des chandelles. Entretenez vos fantasmes. Envoyez des courriels érotiques à votre partenaire. Dites-vous des cochonneries. Faites l'amour au téléphone. Bref, faites preuve de créativité et concentrez-vous sur le plaisir. Tout est acceptable dans la mesure où vous y consentez tous les deux. Et n'oubliez pas que pour que ça soit bon, vous devez transpirer.

« C'est bien beau tout ça, Larry, mais je n'ai pas de partenaire sexuel. »

Eh bien, donnez-vous du plaisir vous-même !

« Le sexe est-il sale ?
Seulement s'il est bien fait. »
– Woody Allen

« On n'arrête pas d'acheter des trucs,
alors que ce qu'on veut vraiment,
c'est se déshabiller. »
– Jason Purcell

LES ENFANTS ET LE SEXE

L'abstinence est un leurre. J'imagine que vous avez eu des relations sexuelles quand vous étiez jeune. (Sinon, ne vous demandez pas pourquoi vous êtes dans un tel état !) Alors ne vous attendez pas à ce que vos enfants s'abstiennent d'en avoir.

« De toutes les aberrations sexuelles,
la plus singulière est peut-être la chasteté. »
– Remy de Gourmont

Je vous recommande de dire à vos enfants qu'il n'y a rien de mal à explorer sa sexualité, que c'est naturel et qu'il s'agit de l'activité la plus plaisante qui soit. Mais je vous conseille également de leur fournir quelques repères qui leur permettront de bien vivre leur sexualité.

Il existe trois principes que vous devriez enseigner à vos enfants en matière de sexualité : respect, responsabilité, sécurité. Les détails, ils les
découvriront bien tout seuls. Mais, surtout, évitez de leur dire que le sexe
est vilain et destructeur, et qu'il les enverra en enfer. Ce sont des sornettes.

De nombreuses religions fondamentalistes – dont celle que mes fils pra-
tiquaient quand ils vivaient avec leur mère – exigent des jeunes qu'ils
s'engagent à ne pas avoir de relations sexuelles avant le mariage. Une
telle règle engendre un sentiment de culpabilité qui, ironie du sort,
n'empêche ni l'activité sexuelle chez les jeunes, ni les grossesses préco-
ces, ni même les crimes sexuels.

Cela signifie-t-il que j'approuve le sexe avant le mariage ? Oui. Si les
gens couchaient ensemble avant de se marier, il y aurait moins de
mariages malheureux et moins de divorces.

Que vous le vouliez ou non, vos enfants *vont* avoir des relations sexuelles.
Montrez-leur à se comporter de façon responsable. Parlez-leur des mala-
dies transmises sexuellement et des méthodes de contraception. Dites-
leur que « non » signifie toujours « non ». La sexualité est quelque chose
de puissant. Faites preuve de bon sens en aidant vos enfants à la gérer.

Chapitre 18

All You Need is Love

Vous pensez peut-être que j'ai épuisé le sujet de l'amour dans un chapitre précédent. Les gens ont en effet tendance à confiner ce sentiment aux relations humaines. Mais ils ont tort. L'amour est essentiel au succès, au bonheur et à la prospérité. C'est ce qui fait de vous un grand patron, un grand vendeur, un excellent représentant au service à la clientèle et une personne avec qui on veut passer du temps et à qui on est prêt à donner de l'argent. Les Beatles ont encore et toujours raison : tout ce dont on a besoin, c'est d'amour.

L'amour est puissant

《 Il n'y a aucune difficulté que l'amour ne surmonte pas, aucune maladie qu'il ne guérit pas, aucune porte qu'il n'ouvre pas, aucun cours d'eau qu'il ne franchit pas, aucun mur qu'il n'abat pas, aucun péché qu'il ne rachète pas. Peu importe la gravité et la confusion de la situation, les limites de la perspective, l'importance de l'erreur, l'amour saura tout régler. Si seulement vous aimiez suffisamment, vous seriez la personne la plus heureuse et la plus puissante du monde. 》

– Emmet Fox

C'est vrai. L'amour peut soigner toutes les blessures. L'amour est la grande affaire de la vie. Laissez-moi vous montrer pourquoi.

AIMEZ VOTRE TRAVAIL

Si vous aimez votre travail, vous finirez par y exceller. Meilleur vous serez, mieux vous serez payé. L'amour est donc la clé de la prospérité. De plus, si vous aimez ce que vous faites, vous serez plus heureux, plus confiant et vous vous porterez mieux, car vous serez mieux dans votre peau.

AIMEZ CEUX POUR QUI VOUS TRAVAILLEZ

Si vous n'apprenez pas à aimer l'entreprise pour laquelle vous travaillez ou les clients que vous servez, vous ne leur donnerez pas le meilleur de vous-même. À la longue, vous ferez preuve de mauvaise foi.

Même s'il arrive aux gens d'affaires de prier pour avoir plus de clients, ils s'en plaignent souvent. « Je ne voulais pas des clients *comme ça !* » Or, même les clients qui vous rendent fou méritent votre amour. Je le répète, ce sont eux qui possèdent l'argent. C'est seulement en les aimant que vous les servirez suffisamment bien pour qu'ils acceptent de partager leurs sous avec vous.

AIMEZ LES AUTRES

Si vous aimez les autres au point de veiller à leur bonheur et à leur bien-être, vous les ferez bénéficier du service suprême : vous les respecterez, vous les dorloterez, vous les écouterez, vous les encouragerez et vous les réconforterez. Vous leur donnerez le meilleur de vous-même. Ainsi traités, ils chercheront à vous rendre la pareille. Imaginez l'existence que vous pourriez mener si les gens de votre entourage voulaient toujours vous offrir le meilleur d'eux-mêmes.

AIMEZ-VOUS

Je ne le répéterai jamais assez : vous ne serez bon à rien tant que vous ne serez pas d'abord bon envers vous-même, et vous n'aurez pas d'amour à donner si vous n'avez pas d'amour-propre. Comment pourrez-vous donner le meilleur de vous-même si vous n'êtes pas convaincu d'avoir quelque chose de merveilleux à offrir ?

L'AMOUR : LE SECRET DU SUCCÈS COMMERCIAL

Si vous aimez vos clients, vous vous démènerez pour bien les servir, vous ferez preuve d'honnêteté et d'intégrité dans la gestion de vos affaires et vous fixerez des prix justes pour vos produits et services. Si vous aimez vos collègues vous les traiterez avec respect. Si vous aimez vos employés, ils vous suivront beaucoup plus volontiers que poussés par n'importe quelle tactique de motivation.

Bref, l'amour fera paraître votre entreprise sous son meilleur jour et vous permettra d'atteindre vos objectifs de vente. Cet amour sera récompensé. Vos clients, vos collègues et vos employés aimeront faire affaire et travailler avec vous. Le succès viendra – et avec lui, l'argent.

L'AMOUR : LE SECRET DE LA PROSPÉRITÉ

Comme je l'ai souligné dans un chapitre précédent, donner permet de recevoir. Or, vous ne serez prêt à partager avec autrui que lorsque vous aurez appris à aimer cette expérience, que lorsque vous apprécierez à quel point vous pouvez améliorer l'existence d'autrui en l'aidant financièrement. Vous assurerez votre succès financier notamment en faisant des dons à des organismes de bienfaisance.

L'AMOUR : LE SECRET DU BONHEUR

Rien ne saurait rendre l'être humain plus heureux que l'amour partagé. Puisque vous recevrez autant d'amour que vous en donnerez, votre bonheur sera directement proportionnel à l'amour que vous aurez à offrir.

« L'amour est une loi divine.
Vous apprenez à aimer en vivant.
Vous aimez en apprenant à vivre.
Toute autre leçon est superflue. »
– Mikhail Naimy

Chapitre 19

La critique

Il est facile de critiquer, n'est-ce pas ? Parfois, on réprouve tellement le comportement des autres qu'on ne peut pas se taire. Ce n'est guère reluisant, mais ça ne mérite pas qu'on en fasse tout un plat. Parfois, on va même jusqu'à désapprouver la façon dont ils s'habillent. À mon sens, c'est parfaitement stupide, mais pas très grave non plus. Ce sont là des réactions bien humaines et bien compréhensibles. C'est quand la critique vise ce que sont les gens, et non leurs actes, qu'elle devient dangereuse.

« Mais, Larry, n'est-ce pas ce que tu fais dans ce livre ? »

Pas du tout. Je m'en prends à la stupidité, à la paresse, à la bigoterie, à l'hypocrisie, à la malhonnêteté, mais pas aux gens. Je m'en prends à leurs comportements.

Les préjugés

Quand j'étais dans la vingtaine, j'avais une barbe et les cheveux relative- ment longs. Difficile à croire, mais j'ai déjà eu des cheveux ! Je cumulais alors études universitaires et boulot d'opérateur téléphonique à Muskogee, en Oklahoma. Une fois mon diplôme en poche, je comptais passer du côté de l'administration, afin d'avoir des chances d'avance- ment. Au cours de mon entrevue, celui qui allait être mon patron m'a dit que je ferais mieux de me faire couper les cheveux et la barbe. Je lui ai demandé s'il était plus intéressé par ce qu'il y avait *sur* ma tête que ce qu'il y avait que *dans* ma tête. Comme il a répondu par l'affirmative, je me suis rasé. J'étais sans le sou et j'avais besoin de cet emploi. C'est fou, les compromis qu'on est prêt à faire quand il est question d'argent.

Ne dénigrez pas une personne en raison de son apparence ou de sa tenue. Oh, je sais ce que c'est. Moi-même, j'ai de la difficulté à faire fi des cheveux pourpres, de l'anneau dans le nez, des tatouages de la tête aux pieds, de l'androgynie. À mon plus grand étonnement pourtant, je suis souvent bien mieux servi par ce genre de personne que par un vendeur BCBG d'une boutique chic et chère.

Si une personne se conduit d'une façon que vous n'approuvez pas sans que ça dérange votre existence, laissez-la tranquille. Elle a sa façon de vivre, tout comme vous avez la vôtre. Si vous ne l'aimez pas, éloignez-vous-en. Vous avez le droit de ne pas faire affaire avec elle, de ne pas lui parler, de ne pas l'embaucher. Mais, de grâce, ne la jugez pas.

J'ai déjà eu un collègue dominateur, étroit d'esprit et tellement arrogant que j'avais de la difficulté à être dans la même pièce que lui. J'ai fini par comprendre que c'étaient là des défauts que je détestais chez moi. Mon irritation à mon propre endroit m'avait rendu intolérant. Quelle révélation. Quelle révélation *gênante*.

> **« Tout ce qui nous irrite chez l'autre peut nous aider à mieux nous comprendre. »**
> **– Carl Jung**

Les critiques que nous adressons aux autres en disent souvent plus long sur nous que sur eux. Lorsque vous avez envie de condamner une personne, réfléchissez bien à ce que vous ne pouvez tolérer chez elle. Je parierais que vous souffrez du même trait insupportable.

L'envie

« Les grands esprits ont toujours été sévèrement
blâmés par les esprits médiocres. **»**

– Albert Einstein

Je crois qu'Einstein sous-entend ici que les gens qui réussissent s'attirent des reproches. Ceux qui finissent par se créer la vie qu'ils souhaitaient sont en effet de grands esprits, car ils avaient un rêve, y ont cru, ont osé le réaliser et maintenant se distinguent du reste de la société (les esprits médiocres).

Les gens médiocres seront intimidés par votre succès, car ils vivent dans un univers caractérisé par la peur et le manque. Ils s'imaginent que toute réussite se fait à leurs dépens. Ils croiront que vous leur avez volé la part de prospérité qui leur revenait. Ils ignorent qu'en fait il y en aurait même pour eux s'ils y croyaient et s'ils se donnaient la peine de poursuivre un objectif quelconque.

Ils ne souhaitent pas nécessairement vous voir échouer ; ils veulent juste que vous demeuriez à leur niveau. Ils ont peur d'être laissés pour compte. Ils craignent que vous ne leur accordiez plus de temps, que vous ne perdiez plus d'après-midi à déblatérer contre tout un chacun, le monde cruel et le coût de la vie, que vous ne preniez plus de pauses interminables. Vous savez quoi ? C'est probablement ce qui se produira. Lorsque vous aurez goûté au succès, vous n'aurez plus une minute à consacrer à tout ce qui pourrait vous éloigner de votre but, y compris les gens qui vous retiennent.

Ces gens sont à plaindre. Ils sont terrorisés à l'idée de prendre leurs responsabilités. Et s'ils étaient incapables de réussir ? Et s'ils étaient incapables de réunir assez de volonté pour réussir ? Alors, plutôt que d'oser affronter leur peur, ils la transforment en critique.

Ils vous critiqueront ouvertement et dans votre dos. Ils se moqueront de votre ascension sociale. Parfois, ils réussiront à se liguer à plusieurs contre vous. Vous devez apprendre à vous immuniser. Vous ne pourrez pas les changer. Aimez-les, bénissez-les et laissez-les aller.

《 Tant que vous vous préoccupez de ce que les autres pensent de vous, vous leur appartenez. 》

– Neale Donald Walsch, *Conversations avec Dieu*, Tome 3

Ne perdez pas votre temps à vous défendre, à vous justifier. Vous avez exploité vos talents et vos capacités, et maintenant, vous en récoltez les fruits. Vous avez été récompensé pour les excellents services que vous avez rendus. Vous méritez tout ce que vous possédez. Ne vous en excusez pas. Ne vous tourmentez pas. Vous ne serez heureux que lorsque vous réussirez à vous moquer de l'approbation d'autrui.

《 Si vous êtes absolument convaincu de la grandeur et de la pertinence de vos accomplissements, vous serez en paix avec vous-même et en harmonie avec votre mission héroïque. 》

– Dr Wayne Dyer

Pour éviter toute critique :

《 Ne dites rien, ne faites rien, ne soyez rien. 》

– Anonyme

Critique versus esprit critique

Si les gens cultivaient davantage leur esprit critique, il y aurait moins de drames à la Waco[5] ou à la Jonestown[6], et la religion catholique aurait moins de problèmes avec ses prêtres. Il est risqué de faire aveuglément confiance à qui que ce soit. On a intérêt à tout remettre en question : religions, autorités, politiciens, gouvernements, systèmes scolaires, médecine, lois, etc. On ne peut se fier qu'aux entités et organisations qui résistent à l'analyse. Si elles se désintègrent au moindre regard scrutateur, c'est que, dès le départ, elles ne valaient pas grand-chose.

N'oubliez pas que les gens confondent souvent critique et esprit critique. Lorsque vous ne tiendrez pas les choses pour acquises, on dira que vous «critiquez pour rien». On trouvera que vous êtes négatif, empêcheur de tourner en rond. Ne vous laissez pas atteindre par ces attaques. Élevez-vous au-dessus de la mêlée. Vous saurez que vous n'êtes pas crédule.

Enfin, faites bien attention aux réactions que vous suscitez. Méfiez-vous des gens allergiques aux remises en question et au scepticisme. Et sachez que si la vérité ne craint pas d'être interrogée, le mensonge, lui, se sent souvent pris en défaut.

---

[5] NDT : Au printemps 1993, l'armée et le FBI ont assiégé Mt. Carmel, une ferme à proximité de Waco, au Texas, où était installée la secte des Davidiens, dont le chef était soupçonné entre autres de polygamie. Près de 80 membres de la secte ont péri dans l'incendie qui a mis un terme au siège.

[6] NDT : Localité de la Guyane nommée en l'honneur de Jim Jones, fondateur de la secte du Temple du Peuple, où près d'un millier d'adeptes (y compris Jones) se sont collectivement suicidés en 1978.

Chapitre 20

Donner, c'est recevoir

On se creuse beaucoup les méninges pour savoir ce qu'il faut faire afin d'avoir plus d'argent, plus de succès, plus d'objets, plus, plus, plus. Pourtant, c'est simple. Il suffit de donner. Ni plus ni moins.

Vous atteindrez votre poids-santé en renonçant aux aliments qui sont mauvais pour vous. Vous réussirez en abandonnant la paresse, vos mauvaises habitudes de travail et votre obsession pour la télévision. Et c'est en cédant une partie de votre argent que vous en obtiendrez davantage.

Les dons d'argent

≪ Donnez librement, joyeusement, affectueusement et sereinement, et vous profiterez d'une richesse fabuleuse. ≫

– Joseph Murphy

Donnez de l'argent aux organismes qui nourrissent les enfants, aident les sans-abri, protègent les baleines, préservent les forêts tropicales, financent la recherche sur le sida, etc. Les causes ne manquent pas et elles pourraient toutes être sauvées si seulement les gens étaient un peu plus généreux.

Les gens sont outrés d'apprendre qu'il y a des enfants qui ne mangent pas à leur faim ici même, en Amérique du Nord. Ils bien ont raison, c'est scandaleux. Personne ne devrait souffrir de la faim. Mais que font-ils pour remédier à la situation ? Donnent-ils de l'argent à des organismes de charité ? Vous, l'avez-vous fait ? Quand ? De quel montant vous êtes-vous délesté ?

Tout le monde a son mot à dire sur ce qu'il faudrait faire, mais très peu font quoi que ce soit. Ce genre de sollicitude, c'est du vent. À elles seules, les paroles ne sont guère efficaces. Je le sais, c'est ce que je fais pour gagner ma vie.

Revenons sur Terre

J'ai été élevé dans la religion fondamentaliste. Je me souviens d'un précepte qui m'a profondément marqué : On pense tellement au ciel qu'on est inutile sur Terre. Autrement dit, on a des pensées pleines d'amour et de bonne volonté, mais on n'est pas prêt à faire un chèque.

Je reconnais qu'il y a des gens qui ont le cœur sur la main, et si vous êtes de ceux-là, félicitations. Mais ils sont une denrée rare. La plupart ne sont guère charitables. Est-ce parce qu'ils sont trop pauvres ? J'ai peine à le croire. Pratiquement tout le monde a suffisamment d'argent pour en donner un peu. Il faut donc se rendre à l'évidence : ils ne veulent pas en donner.

Ils craignent probablement d'en manquer, mais ils ont tort, car plus on donne, plus on reçoit. N'est-ce pas merveilleux ? Je me suis longuement penché sur ce phénomène pour finalement comprendre qu'il relève d'une loi physique.

La nature a horreur du vide

Lorsque vous donnez, vous faites de la place pour recevoir. Et habituellement, c'est quelque chose de mieux !

Faites l'exercice suivant. Ouvrez votre penderie et allez du « mauvais » côté. Si les femmes savent exactement de quoi je parle, les hommes sont sans doute un peu perdus. Pas étonnant, il n'y a souvent qu'un seul côté dans votre penderie (le mauvais). Alors demandez à une femme ou à un ami gai de vous aider. Maintenant, sortez les vêtements que vous ne remettrez plus jamais parce qu'ils sont vraiment démodés et ceux dans lesquels vous n'entrez plus depuis longtemps. Donnez-les. Sans discuter. N'essayez pas d'en tirer quelques dollars en allant dans une friperie ou en faisant une vente de garage. Remettez-les à un organisme qui saura en faire bon usage.

« Mais, Larry, je n'aurai plus rien à me mettre ! »

Très bien. Ce sera l'occasion de vous acheter des vêtements au goût du jour et de la bonne taille.

Et ce sofa que vous détestez ? Mettez-le sur le trottoir avec une pancarte « À donner ». Je vous parie qu'il disparaîtra en deux heures. Vous en aurez un autre dans deux semaines.

Voilà le principe : en donnant ce dont vous voulez vous débarrasser à ceux qui en ont besoin, vous contribuez à créer les ressources nécessaires pour les remplacer.

> **《 La générosité est le secret de la prospérité,
> car nous ouvrons une corne d'abondance en
> partageant avec autrui ce que la vie nous a donné. 》**
> — J. Donald Walters

Chapitre 21

Du travail et rien d'autre

Il n'y a pas moyen d'échapper au travail. Bien sûr, certains s'en passent, mais ce ne sont pas des modèles à suivre. En fin de compte, c'est très bien ainsi, car le travail est notre principale source de revenu et d'épanouissement personnel et professionnel.

Vous savez à quel point je trouve qu'il est important d'aimer son gagne-pain. Mais je ne crois pas pour autant qu'adorer son métier fait de celui-ci une partie de plaisir. Le plus merveilleux boulot comporte son lot d'emmerdements et d'irritants. Même si votre travail vous permet d'être créatif et de vous épanouir pleinement, je suis certain qu'il vous arrive de le détester ou d'en être blasé.

Je raffole de mon travail et je ne l'échangerais pour aucun autre. Grâce à lui, je voyage beaucoup, je séjourne dans de magnifiques hôtels, je mange dans de grands restaurants, je traite avec des gens charmants, je suis libre de dire tout ce que je veux et d'être moi-même, et je suis bien payé pour faire tout ça.

Pourtant, je suis parfois malade rien qu'à l'idée d'aller donner une autre conférence. À vrai dire, ce n'est pas l'activité comme telle qui me rebute, mais bien tout ce qui l'entoure : les déplacements constants, les aéroports, les voitures de location et le fait d'être éloigné de ma femme, de ma maison, de mon chien, de mes amis, de ma famille et de mes choses. Je suis fatigué de tout ce qui n'est pas mon travail mais qui, en même temps, lui est essentiel.

On passe très peu de temps à exercer effectivement son métier. Par exemple, si vous êtes vendeur, je suis sûr que la vente comme telle ne vous occupe que quelques heures par semaine. Le plus clair de votre temps, vous le passez à voyager, à faire des appels, à passer des commandes, à assister à des réunions, à communiquer avec d'autres services de votre société, à remplir de la paperasse, etc. Et je doute que vous puissiez vous dérober à ce genre d'obligations. Que vous les aimiez ou non n'y changera rien.

Quel que soit votre métier, je parie que vous consacrez environ 10% de votre temps à l'exercer et les 90% restants à faire le nécessaire pour l'exercer. Réfléchissez, et vous arriverez sans doute à ce ratio 10/90. N'oubliez pas que vous êtes rémunéré pour ces 10%; vous avez donc intérêt à tolérer toutes les activités qui constituent les 90 autres.

Je reconnais que ce n'est pas une idée transcendante – j'ai beaucoup trop le sens des réalités pour avoir autre chose que des idées pratiques. Le travail, c'est le travail. Tirez-en le meilleur parti. Aimez ce que vous êtes capable d'aimer et composez avec le reste.

Un truc qui pourra vous aider

Même si parfois le travail n'est rien d'autre que du travail, nous avons intérêt à comprendre *pourquoi* nous nous rendons au boulot chaque jour. Quand nous connaissons nos motivations, nous sommes mieux équipés pour accomplir nos tâches.

Voici donc, selon moi, les trois raisons pour lesquelles vous allez travailler chaque jour :

- ⊙ Pour conserver vos clients.

- ⊙ Pour trouver de nouveaux clients.

- ⊙ Pour faire de vous et de votre entreprise des entités avec lesquelles les gens voudront faire affaire.

Je sais que nombre d'entre vous considèrent qu'ils n'ont pas de clients. Mais, comme je l'ai déjà mentionné, vous avez beau les appeler patients, étudiants, auditoires, collègues ou employés, ce sont des clients dans la mesure où vous les servez. Et, d'une manière ou d'une autre, votre travail consiste à rendre service. Comme le chante Bob Dylan : « *You gotta serve somebody* » (vous devez servir quelqu'un). Pour moi, ce « quelqu'un », c'est le client.

PREMIÈRE RAISON : CONSERVER SES CLIENTS

L'élément vital de votre entreprise est votre clientèle, c'est-à-dire les gens qui font régulièrement affaire avec vous, vous connaissent, vous font confiance et vous paient pour vos services. Comme vous avez intérêt à les conserver précieusement, vous devez vous arranger pour qu'ils vous aiment et disent du bien de vous.

Malgré toute votre bonne volonté, il vous arrivera de faire des erreurs (n'allez pas croire que vous en êtes exempt), mais vos clients réguliers vous pardonneront, car ils savent que vous êtes capable de faire mieux. S'ils sentent que vous les appréciez, ils vous seront fidèles et pourront vous aider à traverser les mauvaises passes et à prospérer lorsque les circonstances sont favorables. Ce sont vos meilleurs amis. Traitez-les bien !

DEUXIÈME RAISON : TROUVER DE NOUVEAUX CLIENTS

La recherche de nouveaux clients est importante, mais elle ne doit pas se faire aux dépens de la clientèle existante. Pourtant, de nombreux dirigeants d'entreprises accordent la priorité au développement des affaires et offrent à leur clientèle régulière un service qui laisse plus ou moins à désirer. Or, les clients négligés vont ailleurs. C'est probablement ainsi que vous avez obtenu les vôtres : ils n'étaient pas satisfaits de la façon dont vos concurrents les traitaient.

Vous comprenez maintenant ce qu'il faut faire pour gagner de nouveaux clients : pas besoin de leur offrir un service plus abordable ou même meilleur que celui de vos concurrents ; il vous suffit de les bichonner. Et lorsque vous les aurez séduits, arrangez-vous pour qu'ils vous soient fidèles en continuant de les traiter aux petits oignons.

TROISIÈME RAISON : FAIRE DE VOUS ET DE VOTRE ENTREPRISE DES ENTITÉS AVEC LESQUELLES LES GENS VOUDRONT FAIRE AFFAIRE

La personnalité et les valeurs de votre entreprise sont le reflet de celles de vos employés – peu importe les slogans affichés aux murs. J'ai visité de nombreuses entreprises où les bannières et les plaques proclamaient à qui voulait l'entendre tout le bien qu'elles pensaient de leurs clients. Le hic, c'est qu'elles semblaient avoir oublié d'en parler à leurs employés. Or, c'est avec ces derniers que les clients font affaire, pas avec une entité théorique. Le contact avec les employés est ce qui incite les clients à croire à l'entreprise ou à en douter.

Faites le point. Honnêtement. Les gens qui font affaire avec vous sentent-ils que vous avez à cœur de les satisfaire ? Ou ont-ils plutôt l'impression d'être des zozos que vous endurez (à peine) parce qu'il faut bien gagner sa vie ? À vous de décider quelle attitude adopter.

Quelques leçons pour les employés

Quand c'est le temps de travailler, travaillez! Quand c'est le temps de vous amuser, amusez-vous! N'essayez pas de faire les deux en même temps. Vous bousillerez votre travail et gâcherez votre plaisir. Ce conseil est particulièrement judicieux pour les gens qui travaillent à la maison. Je trouve fantastique d'avoir un bureau chez moi. Malheureusement, la plupart des gens dans cette situation ne brillent pas par leur efficacité. Vous devez être capable de tracer une frontière entre les tâches et responsabilités qui relèvent de votre vie domestique et celles qui relèvent de votre vie professionnelle. Mais surtout, vous devez être capable de cesser de travailler pour vivre. Certains y arrivent difficilement.

Faites de votre espace de travail un endroit où vous ne faites que bosser. Sortez-en pour manger ou pour faire toute autre activité personnelle. Fermez la porte. S'il n'y en a pas, installez-en une. De même, n'amenez pas votre travail ailleurs dans la maison. Gardez le reste de la maison pour relaxer, vous reposer et vous amuser.

Bâtissez-vous une réputation. Que vous le vouliez ou non, vous avez une réputation. Peut-être que vous êtes connu pour vos blagues, votre intelligence, votre mauvaise haleine ou vos mœurs légères, et peut-être que cette étiquette est totalement imméritée, mais, chose certaine, on vous en a accolé une. Je vous suggère donc de prendre les devants et de vous faire connaître comme quelqu'un qui ne laisse pas traîner les choses.

J'ai une réputation de salaud. Elle est méritée, et j'y tiens. Mais attention! On ne me traite pas de salaud parce que je suis malhonnête, négligent, paresseux, impoli ou toujours en retard. C'est plutôt le contraire. Je dois ma renommée à mon intransigeance, au fait que je tiens mes promesses et que je refuse tout compromis sur la qualité ou l'éthique. Somme toute, il est pénible de faire affaire avec moi parce que mes standards profession-nels sont très élevés. Voilà pourquoi je passe pour un salaud. Tout bien considéré, c'est un compliment.

Débarrassez-vous d'abord de ce qui vous pèse. Quand vous étiez petit, aviez-vous l'habitude de manger d'abord les légumes – que vous détestiez – et de garder ce que vous adoriez pour la fin ? Appliquez le même principe au travail. Attaquez-vous d'abord à ce qui vous rebute. Ne le remettez pas au lendemain. Ne procrastinez pas. Puis faites ce que vous aimez.

Ne vous éparpillez pas. Soyez méthodique. Travaillez sur un projet jusqu'à ce que vous l'ayez terminé. Chaque jour, fixez-vous un ordre de priorités et attaquez-vous d'abord aux tâches les plus importantes, celles qui produisent des résultats. Si vous n'avez pas le temps de tout faire, vous aurez au moins fait ce qui comptait le plus. Personne ne vous le reprochera. N'oubliez pas que vous êtes évalué en fonction de vos résultats et non en fonction de vos activités.

Si votre travail ne vous amuse plus, quittez-le. J'ai traité de cet aspect dans un précédent chapitre, mais ça vaut la peine que je vous rafraîchisse la mémoire. Soit vous apprenez à aimer votre emploi, soit vous le quittez. N'oubliez pas que vous n'excellerez jamais dans une activité que vous n'aimez pas.

Quelques leçons pour les gens d'affaires

Ne cherchez pas à offrir le service le plus abordable. Visez plutôt l'ex-cellence. Les gens qui courent seulement après les aubaines ne sont pas de bons clients. Les entreprises dont le seul argument de vente est le prix offrent rarement de bons produits. Il y aura toujours quelqu'un pour vendre moins cher que vous. Sachez que si vous baissez vos prix, vous abandonnerez inévitablement quelque chose : soit votre intégrité, soit la qualité de vos produits ou services. Du reste, ne sous-estimez pas la capacité des clients à payer davantage pour obtenir davantage. Nombre d'entre eux savent que la tranquillité d'esprit, la confiance, la satisfaction et la fierté valent leur pesant d'or.

Traitez les gens mieux que vous voudriez être traité. On a coutume de dire qu'en affaires, il faut traiter les gens comme on voudrait être traité. Ne suivez pas ce conseil, car si vos attentes sont faibles (ça m'arrive même à moi), vous risquez de décevoir. Ne vous fiez pas à ce que vous êtes prêt à accepter pour juger des désirs de vos clients. Osez plutôt leur en donner trop. En fait, surprenez-les en leur offrant un traitement princier.

Ne faites pas affaire avec de sales types, vous y perdrez au change. Retenez-la bien, celle-là. Les sales types ne sont pas fiables. Ne soyez pas naïf au point de penser que vous, ils ne vous auront pas.

À un moment de ma vie où ça n'allait pas fort pour moi, j'ai dû mettre ma maison en vente. Un homme m'a fait une offre d'achat. Je trouvais qu'il avait l'air hypocrite, mais j'ai quand même accepté son offre, car j'étais désespéré. Évidemment, la vente n'a jamais eu lieu, j'ai perdu de l'argent et ça s'est mal terminé. Mais j'ai tiré quelques leçons de cette expérience. Tout d'abord, il faut suivre son instinct. Si vous flairez un marché de dupes, abandonnez l'affaire. Ensuite, le serpent tentera toujours de vous mordre. Ne le blâmez pas, car c'est dans sa nature. C'est à vous de ne pas trop vous en approcher.

Ne faites pas de faveur à vos amis ou à votre famille. Lorsque je vendais des systèmes téléphoniques, un très bon ami à moi m'a demandé de lui faire une proposition pour son bureau. Je lui ai fait un « prix d'ami », qu'il a poliment refusé. Le prix normal, m'a-t-il expliqué, lui garantissait le droit de se plaindre s'il y avait un problème, droit auquel il renonçait tacitement en acceptant un rabais. J'ai appris une grande leçon, ce jour-là. Et je vous conseille de suivre le même raisonnement avec vos amis et votre famille. Si vous le leur expliquez, ils comprendront.

La leçon à retenir absolument. Vous devez faire ce que vous avez promis de faire, au moment où vous avez promis de le faire et de la manière dont vous avez promis de le faire. Ne vous défilez pas. Tenez parole. Un point c'est tout. Soyez la personne en qui vos collègues et clients peuvent avoir pleinement confiance.

> **Faites ce que vous avez promis de faire,**
> **au moment où vous avez promis de le faire**
> **et de la manière dont vous avez promis de le faire.**

Chapitre 22

Le manque de temps

«On manque de temps!!!»

Eh bien, pour une fois, je suis d'accord avec vous. Moi aussi, je souffre du manque de temps. On dirait d'ailleurs qu'il y en a de moins en moins à mesure qu'on vieillit. Il y a tant à faire et si peu d'heures dans une journée.

Pour régler votre problème, vous avez pensé à vous inscrire à un séminaire sur la gestion du temps ou à acheter un agenda électronique qui vous suivra partout et vous servira à planifier la moindre minute de votre semaine. C'est sûr que ça va marcher!

La gestion du temps, quel attrape-nigaud!

Ce commentaire a le don d'enrager mes amis qui donnent des séminaires sur la gestion du temps. Je m'en fous. Je trouve qu'ils ne devraient pas vous enseigner à gérer quelque chose d'ingérable. Alors, sans mauvais jeu de mots, ne perdez plus votre temps à essayer de gérer votre temps.

Plutôt que de vous concentrer sur le temps, concentrez-vous sur vos priorités. Les priorités mal définies, voilà votre véritable problème. Lorsque vous aurez déterminé ce qui compte le plus pour vous, vous n'aurez plus de problème de temps.

Voici un petit exemple qui vous aidera à comprendre ce que j'entends par là. Si je me présentais chez vous et que j'ouvrais la porte du garage, j'y verrais probablement un très grand désordre. Vous me diriez alors que vous n'avez pas eu le temps de faire le ménage parce que vous étiez trop occupé. À d'autres! Si vous n'avez pas fait le ménage, c'est parce que ce n'était tout simplement pas prioritaire pour vous. Si ça l'avait été, vous l'auriez fait. On trouve toujours du temps pour ses priorités.

Ce principe vaut pour tous les secteurs de votre vie. Pourquoi êtes-vous en train de lire mon livre? Parce que vous croyez − avec raison − qu'il renferme le secret du succès, de la prospérité et du bonheur, et parce que cette connaissance est prioritaire pour vous.

Ne trouvez-vous pas étrange que quelqu'un d'aussi occupé que vous trouve du temps pour lire? Vous n'êtes pourtant pas la seule personne à vouloir connaître le succès, le bonheur et la prospérité. Or, les autres disent qu'ils n'ont pas le temps de lire même s'ils ont acheté ce livre. Balivernes! Dans le fond, ils ne le lisent pas parce que, pour eux, regarder la télévision est plus important que réussir. Et après, ils se demandent pourquoi ils vivent une vie aussi médiocre.

Apparemment, vous n'avez pas le temps de jouer avec vos enfants, de lire, d'appeler votre mère, d'aller voir un film ou de manger au restaurant avec votre conjoint. Et si je proposais au golfeur invétéré que vous êtes de venir jouer avec moi sur le plus beau terrain qui soit, et à mes frais par-dessus le marché? Je parie que vous auriez le temps. Tout ça parce que le golf est une priorité pour vous.

Établissez vos priorités

Vous avez sans doute en tête un projet que vous n'avez pas encore eu le temps de réaliser. Rendez-vous à l'évidence : vous ne l'entreprendrez pas tant que vous n'en ferez pas une priorité. Vous devez déterminer ce qui compte vraiment pour vous. Vous devez établir vos priorités.

Votre santé est-elle prioritaire ? Si c'est le cas, vous le saurez dès que vous commencerez à mieux vous alimenter et à faire de l'exercice régulièrement. Votre famille est-elle prioritaire ? Si c'est le cas, vous le saurez dès que vous passerez plus de temps avec elle. Rien ne vous empêchera de vous occuper de votre santé ou de votre famille, car vous *prendrez* le temps qu'il faut.

Il faut cependant que vous regardiez les choses en face. Chaque jour, vous devez remplir toutes sortes d'obligations qui n'ont rien à voir avec vos priorités. Vous devez vous taper le trajet jusqu'à votre travail, faire les courses, prendre rendez-vous avec des ouvriers. Il n'y a rien que je déteste autant que d'avoir affaire à des entrepreneurs en construction : ils sont toujours en retard, n'appellent pas pour prévenir et ne terminent pas le travail du premier coup parce qu'il leur manque des matériaux. Ça me rend fou ! Vous savez sans doute de quoi je parle. Vous savez aussi que ni vous ni moi n'y pouvons rien. Mon seul conseil dans ce cas : respirez par le nez et faites ce que vous avez à faire. Désolé, pas de grand principe, cette fois.

L'existence est remplie d'obligations dont on ne raffole pas, mais auxquelles il faut se plier. C'est ainsi. Il faut s'arranger pour les respecter tout en ayant suffisamment de temps à consacrer à ses priorités.

C'est vrai que le temps file. Mais, de grâce, arrêtez de dire que vous en manquez. Vous en avez suffisamment pour assumer vos responsabilités *et* accomplir ce qui vous tient à cœur. Définissez clairement vos priorités, vous verrez.

Ne regardez plus votre montre

J'adore les montres. J'en ai plusieurs. Mais je ne regarde pratiquement plus l'heure. D'abord, depuis que j'ai 50 ans, je n'arrive plus à distinguer le cadran – sans parler de la petite fenêtre qui donne la date. Ensuite (et plus sérieusement), tout comme mon paternel, je pense qu'on ne consulte pas sa montre pour savoir l'heure qu'il *est*, mais bien pour savoir l'heure qu'il *n'est pas*.

« Mais, Larry, j'ai des tas de gens à rencontrer, des tas de choses à faire, des avions à prendre. Je ne pourrais pas me passer de ma montre. »

Toute votre agitation me laisse froid. Vous n'êtes pas le seul à être occupé. Je reste convaincu que vous regardez votre montre non pas pour savoir s'il est temps de partir pour votre rendez-vous, mais bien pour vérifier qu'il *n'est pas* encore l'heure de partir. Vous vous foutez de l'heure qu'il est, vous voulez juste vous assurer qu'il n'est pas encore temps d'aller luncher, travailler, se coucher, etc. Et pourquoi ? Pour faire autre chose : boire une autre tasse de café, relaxer, faire ce que vous avez envie de faire plutôt que ce que vous *devez* faire.

Alors, quelle heure est-il ? L'heure de faire ce qui compte vraiment.

> **Si on fait ce qui compte le plus,**
> **alors le reste n'a pas vraiment d'importance.**

Chapitre 23

Le succès :
une question d'équilibre

Pour moi, le succès consiste à réussir dans un secteur sans pour autant sacrifier les autres. Autrement dit, le succès est une question d'équilibre.

Il ne sert à rien d'être le meilleur vendeur du monde si c'est aux dépens de sa santé, ou encore de gagner beaucoup d'argent si on a perdu sa famille en cours de route. Comme Tom Hopkins l'a dit un jour, c'est idiot d'être riche et malade.

Mais je suis réaliste et je sais que pour atteindre l'équilibre, il faut d'abord passer par le déséquilibre.

Si, par exemple, vous êtes sans le sou, vous consacrerez toutes vos énergies à gagner de l'argent. Vous passerez donc le plus clair de votre temps à travailler et ne pourrez plus vraiment relaxer ni jouer autant qu'avant avec vos enfants. C'est normal. Mais ce mode de vie devra être provisoire. À un moment donné, vous devrez rééquilibrer les choses.

Faites preuve de vigilance. Lorsqu'on se met à travailler d'arrache-pied, on a tendance à perdre de vue tout le reste. On s'habitue à ne pas voir ses enfants, à ne pas prendre soin de sa personne. Avant même qu'on s'en rende compte, on n'a plus de lien avec sa famille et on est mal en point physiquement. On est devenu riche, mais également malade, fatigué, seul et vieux. L'inverse est également vrai. Si vous avez besoin de vous amuser, allez-y à fond, mais pas au point de mettre votre gagne-pain en danger.

Voyez votre vie comme une roue dont chaque rayon représente une composante : physique, intellectuelle, spirituelle, sociale, financière, professionnelle, familiale, ludique, personnelle, amicale. Pour que votre roue tourne bien, il faut que les rayons soient de la même longueur. Si vous sentez trop de cahots, posez-vous des questions.

Pour réussir dans un secteur particulier, vous devez le privilégier légèrement – *légèrement* étant le mot clé ici. Si vous vous concentrez sur un aspect de votre vie au point d'abandonner tous les autres, vous deviendrez unidimensionnel et ennuyeux. Vous finirez par mener une existence triste et peu satisfaisante. Ç'aura été un marché de dupes.

Chapitre 24

Fol espoir

Toute votre vie, on vous a chanté les vertus de l'espoir. On vous a dit que *Tant qu'il y a de la vie, il y a de l'espoir,* que *L'espoir fait vivre,* et toutes sortes d'autres balivernes. Eh bien, tant qu'à faire dans les dictons, voici le mien : *Qui vit d'espoir mourra à jeun.* L'espoir est surfait. Je sais, je sais, je suis encore en train de malmener un de vos grands principes. Ça ne fait rien. Je persiste et signe. Abandonnez l'espoir, ça ne vous a jamais rien rapporté.

Troquez l'espoir contre la foi

Espérer, c'est penser que son désir *devrait* se réaliser. Rien n'est moins sûr. En fait, l'espoir est ancré dans l'incertitude.

La foi, au contraire, est ancrée dans la certitude. Quand vous avez foi en quelque chose, vous *savez* que cela se produira. Vous pouvez y compter. Par exemple, je crois que le soleil se lève chaque jour et je crois que Dieu veut ce qu'il y a de mieux pour moi : la santé, la prospérité, le succès et le bonheur.

Alors que la certitude me donne le courage d'agir, le doute me freine. Je parie que vous êtes comme moi. Alors laissez tomber l'espoir et le doute, tournez-vous vers la foi et la certitude, et soyez audacieux.

Chapitre 25

Inutile culpabilité

Il ne sert à rien de se sentir coupable.

« Mais, Larry, que suis-je sensé ressentir lorsque j'ai fait quelque chose que je regrette ? »

Poser la question, c'est y répondre : du regret.

Nous faisons tous des erreurs dont nous ne sommes pas fiers. C'est normal de les regretter. C'est même souhaitable. Cela signifie que nous sommes désolés et que nous nous efforcerons de ne plus recommencer. Éprouver un sentiment de culpabilité n'apporte rien de plus. En réalité, la culpabilité paralyse. C'est une totale perte de temps.

Ce qui est fait est fait. Bien entendu, vous avez intérêt à vous excuser, à réparer les pots cassés, à faire amende honorable, mais vous ne pouvez pas revenir en arrière. Si on vous pardonne, tant mieux, soyez reconnaissant, puis passez à autre chose. Si on ne vous pardonne pas, tant pis, arrangez-vous pour vous accorder vous-même le pardon, et passez quand même à autre chose. L'important est que vous ayez tiré une leçon de l'expérience et que vous vous en souveniez la prochaine fois.

Chapitre 26

Vaine inquiétude

Dans la vie, il y a les événements qu'on peut maîtriser et les autres. Vous n'avez pas à vous en faire pour les premiers puisque vous pouvez les maîtriser. Et vous seriez stupide de vous tracasser pour les autres, puisque vous n'y pouvez rien. Dans un cas comme dans l'autre, l'inquiétude est une totale perte d'énergie.

Vous n'avez aucune influence sur le passé. En revanche, vous pouvez agir sur l'avenir en faisant ce qu'il faut dès maintenant pour le façonner à votre convenance, et vous pouvez agir sur le présent en vivant comme vous l'entendez. Dans tous les cas, vous tourmenter ne servira à rien.

Je sais qu'il est difficile de ne pas s'inquiéter. Mon fils faisait partie des troupes américaines qui ont envahi l'Irak en 2003. Comme tous les parents de soldats, j'étais terrorisé. J'étais contre la guerre et je ne voulais pas que mon fils y participe. Mais je n'y pouvais rien. C'était son boulot, un boulot qu'il aimait, qu'il avait choisi librement.

À un moment donné, je me suis rendu compte que mes craintes minaient mon existence, sans parler du fait qu'elles n'apportaient rien de bon à mon fils. C'est alors que je me suis souvenu de ma conception de l'inquiétude : un mauvais usage de l'imagination, qui provoque exactement ce pour quoi on s'en fait. «Car les choses que je craignais me sont arrivées» (Job 3:25 KJV). J'ai donc abandonné la peur et canalisé mes énergies mentales sur ce que je désirais : le retour de mon fils sain et sauf.

Concentrez-vous sur ce que vous souhaitez. L'énergie que vous mettrez à imaginer la vie que vous voulez mener, les relations que vous voulez vivre et les choses que vous voulez posséder contribuera à les créer. Croyez-moi, ça tient presque de la magie.

D'ailleurs, s'inquiéter à outrance est le moyen le plus sûr de s'attirer des tuiles. N'est-ce pas ainsi que vous avez bâti l'existence dont vous n'êtes pas satisfait ? Bref, cessez de focaliser votre attention sur ce que vous appréhendez et vous obtiendrez des résultats différents.

> **« Le secret du succès est la constance de l'objectif. »**
> – Benjamin Disraeli

Chapitre 27

Salutaire égoïsme

Toute votre vie, on vous a dit qu'il ne fallait pas être égoïste. On avait tort. Je sais que j'ai l'air de me contredire, car dans un chapitre précédent je vous ai dit qu'il fallait être généreux. C'est toujours vrai, mais n'oubliez pas que *Charité bien ordonnée commence par soi-même*. Apprenez à être égoïste. Vous ne serez bon à rien si vous n'êtes pas d'abord bon envers vous-même.

> **« Se trahir soi-même afin de ne pas trahir autrui est la pire des trahisons. »**
> **– Neale Donald Walsch,**
> ***Conversations avec Dieu*, Tome 3**

Si vous faites preuve d'égoïsme, vous ferez d'abord ce que vous aimez. Avec le temps, vous y excellerez, ce qui vous permettra de mieux servir les autres et d'être bien récompensé. Vous aurez conséquemment davantage d'argent pour votre famille et ceux qui sont dans le besoin. En fait, l'égoïsme est la voie qui mène le plus directement à l'altruisme.

Soyez avare de votre temps et apprenez à dire « non ». Vous ne gagnerez rien à vous éparpiller. En refusant de faire ce qui ne vous intéresse pas, vous pourrez vous consacrer à la poursuite de vos véritables objectifs et effectuer un travail beaucoup plus utile.

Ne gaspillez pas votre aide. Accordez-la généreusement aux gens qui la *veulent,* mais parcimonieusement à ceux qui en ont *besoin.* Souvent, les gens qui ont besoin de soutien n'apprécie même pas celui qu'on leur offre et, la plupart du temps, ils n'en font rien. Ne perdez pas votre temps avec eux. Concentrez-vous plutôt sur ceux qui veulent sincèrement que vous leur donniez un coup de main. Ce sera beaucoup plus satisfaisant pour vous et profitable pour eux.

Chapitre 28

Une entente est une entente

Dans le film *Proposition indécente,* Demi Moore et Woody Harrelson incarnent de jeunes mariés aux prises avec des problèmes financiers. Arrive un richissime personnage qui offre au couple un million de dollars pour passer une nuit avec la jeune femme (pas une mauvaise affaire si vous voulez mon avis et celui de mon épouse). Une fois le marché conclu, le mari a des regrets et pique une crise. Hé, Woody, ne fais pas l'enfant : une entente est une entente.

Il vous est sans doute déjà arrivé de faire une promesse en l'air. Au moment de l'honorer, vous avez peut-être essayé de vous défiler en disant que vos paroles avaient dépassé votre pensée. Mais, chose promise, chose due. Vous devez respecter vos engagements même si ça vous rend malheureux. Tenir parole peut vous coûter cher, être pénible, embarrassant, humiliant, gênant. Mais vous ne pouvez y échapper. Pensez-y à deux fois la *prochaine* fois que vous vous engagerez à faire quelque chose. Mais *cette* fois, exécutez-vous de bonne grâce.

Vous êtes lié par vos promesses. Si vous donnez rendez-vous à quelqu'un, ne le faites pas attendre. Si on retient vos services pour un travail quelconque, faites exactement ce que vous aviez prévu faire, au moment convenu. Autrement, vous serez un menteur. Vous me trouvez intransigeant ? Je vous l'avais dit. Et moi, je ne fais pas de promesses en l'air.

Chapitre 29

De précieuses leçons

Voici quelques leçons essentielles parfois difficiles à accepter. Elles se passent d'explication.

⊙ Les gens qui prétendent être riches ne le sont probablement pas.

⊙ Les gens qui font étalage de leurs connaissances sont des ignorants.

⊙ Les gens qui se vantent d'avoir réussi dans la vie sont souvent des ratés.

⊙ Les gens qui se présentent comme de bons chrétiens n'en sont habituellement pas.

⊙ Surveillez votre portefeuille si vous rencontrez des gens qui se targuent d'être honnêtes.

⊙ Si votre interlocuteur commence une phrase par « Je vais être franc avec toi », c'est qu'il ne l'a pas été jusque-là.

⊙ Les gens qui insistent sur la véracité de leurs propos devraient éveiller vos doutes.

⊙ Les gens qui prétendent vouloir « votre bien » veulent surtout le leur.

⊙ Si votre interlocuteur commence une phrase par « Je n'ai qu'une chose à dire à ce sujet », préparez-vous pour un long discours.

⊙ Ne comptez pas sur les gens qui disent qu'ils vont « essayer ».

Habituellement, les vertus comme l'honnêteté, l'intégrité, l'esprit chrétien, l'érudition, etc. n'ont pas à être proclamées ou annoncées. Elles sont évidentes et se manifestent par les actes. Vos réalisations en disent beaucoup plus long que vos paroles.

D'autres leçons

⊙ Ne dites jamais de stupidités du genre « C'est pire que tout ! » Ne lancez pas un tel défi à l'univers. S'il y a une chose que j'ai apprise dans la vie, c'est qu'une situation peut *toujours* empirer.

⊙ On dit souvent que les enfants sont faits pour être vus, pas entendus. Cela devrait plutôt s'appliquer aux voisins.

⊙ La richesse compense nettement la laideur.

⊙ Moins les gens ont de choses à dire, plus ils se sentent obligés de parler.

⊙ Le sens commun n'est plus vraiment commun.

⊙ Lorsque vous entendez une phrase du genre « Si j'avais eu cinq sous chaque fois que…, je serais riche maintenant », dites-vous que la personne n'aurait probablement pas accumulé plus de 35 cents.

Chapitre 30

Le test du succès

Arrivé à cette étape de votre lecture, vous souhaitez sans doute savoir si vous réussirez dans la vie en suivant tous mes conseils. Assurément. Toutefois, je vous ai préparé une petite liste de vérification pour que vous puissiez le vérifier vous-même.

- ⊙ Suis-je heureux ?
- ⊙ Suis-je en santé ?
- ⊙ Est-ce que je rends service ?
- ⊙ Est-ce que j'aime ?
- ⊙ Est-ce que j'apprends ?
- ⊙ Est-ce que j'ai du plaisir ?
- ⊙ Est-ce que je fais quelque chose que j'aime ?
- ⊙ Suis-je prospère ?

Si vous avez répondu « oui » à toutes ces questions, vous pouvez crier victoire. Sinon, faites le nécessaire pour améliorer les choses.

Quelques conseils de prudence

Ne soyez pas naïf au point de croire qu'avec le succès, vous n'aurez plus jamais de problèmes. La vie n'est pas une mer de tranquillité mais plutôt des montagnes russes. J'aime bien ce manège. La montée est difficile, cahoteuse et remplie de promesses. La descente est d'une rapidité vertigineuse. On traverse des tunnels tellement terrifiants qu'ils donnent envie de pleurer. Les montagnes russes, ce n'est pas de tout repos. C'est risqué et ça peut rendre malade. Mais, chose certaine, on ne s'y ennuie pas.

Soit vous payez le prix pour embarquer dans les montagnes russes, soit vous restez dans la file d'attente parce que vous avez peur et n'arrivez pas à vous décider. Vous risquez ainsi de passer votre vie à regarder les autres s'amuser.

Certains préféreront les petits chevaux aux montagnes russes. C'est joli, plaisant et sans danger, mais ça ne cause pas d'émotions fortes.

J'ai essayé les petits chevaux et les montagnes russes, et j'ai choisi les montagnes russes. C'est plus dangereux, mais plus intense et plus satisfaisant.

Si vous avez répondu « oui » aux questions de ma petite liste, sachez que ne vous contentez pas d'exister. Vous vivez pleinement.

Chapitre 31

Une dernière pensée

Bravo ! En lisant cet ouvrage au complet, vous êtes allé plus loin que la plupart des gens. Mais le plus difficile reste à faire, car maintenant, vous devez agir.

J'espère que c'est ce que vous ferez. J'espère vraiment que vous mènerez votre existence différemment. Certains devront mettre leur vie sens dessus dessous, tandis que d'autres n'auront que de modestes changements à apporter. Le secret, c'est le mouvement.

Récemment, un journaliste m'a demandé ce qui, selon moi, comptait vraiment dans la vie. « Pas grand-chose, lui ai-je répondu. Si en se mettant au lit on se rend compte qu'on a souri plus que froncé les sourcils, ri plus que pleuré, dit à ses proches qu'on les aimait, eu du plaisir en gagnant sa vie, c'est qu'on a eu une bonne journée. Il faut être reconnaissant. »

Peu importe que vous suiviez mes conseils ou non. Ce qui compte vraiment, c'est que vous soyez satisfait au moment de vous endormir. Voilà ce à quoi vous devez aspirer. Si vous y arrivez, vous pourrez vous dire « mission accomplie ».

**《 Ce sont là mes principes,
et si vous ne les aimez pas, j'en ai d'autres ! 》**
– Groucho Marx

Faites-nous part
de vos commentaires

Assurer la qualité de nos publications
est notre préoccupation numéro un.

N'hésitez pas à nous faire part de
vos commentaires et suggestions
ou à nous signaler toute erreur
ou omission en nous écrivant à :

livre@transcontinental.ca

Merci !

Les Éditions
Transcontinental